NO DEJES PARA MAÑANA LO QUE PUEDAS AGRADECER HOY

© Miguel Ángel Barbero Barrios
© Editorial Didacbook, SL
C/ Sagasta, 6
23400 - Úbeda (Jaén)
www.didacbook.com

Primera Edición. Julio 2018

ISBN: 978-84-15969-85-3
Depósito Legal: J-354-2018

ÍNDICE

INTRODUCCIÓN

El que tienes en tus manos es un libro escrito desde el corazón. No se trata de un tratado más o menos versado sobre la felicidad, ni siquiera sobre el agradecimiento. Se trata más bien, de un conjunto de reflexiones que han sido hiladas al abrigo de intuiciones y vivencias que, si bien no pretenden articularse de forma ordenada, meticulosa, científica ni académica, sí que conforman un todo que viene a dar expresión a una convicción profunda que llevaba anidando en mí desde hacía bastante tiempo: aquella que me hace creer firmemente en la conexión directa que existe entre agradecimiento y felicidad. Bien es cierto que no podré separar estas reflexiones de mis propios condicionantes, mi propia historia, mi propio ser. Indefectiblemente las páginas de este libro reflejarán mi oficio de maestro y psicopedagogo; más aún, reflejarán una condición que considero por encima de todo ello, o cuando menos, residente en el sustrato motivacional que lo sostiene: la de ser cristiano —o aspirante a—, elemento vertebrador e inseparable del qué escribo y desde dónde lo vivo. Por eso, de alguna manera desnudaré muchas de mis razones. Muchos de mis porqués que normalmente no tienen por qué aparecer de forma explícita en otros ámbitos. Y lo haré desde un punto de vista personal, desenfadado, a corazón abierto. Lógicamente, el que escribe tiene la palabra, pero trataré de involucrar al lector en los distintos temas que iré abordando, de forma lo más parecida posible a un diálogo. Un diálogo confiado, curioso, positivo, alegre, apetecible. Nada forzado. Con suerte, y tal vez si mi torpeza expresiva no lo impide, posiblemente ese diálogo pueda terminar siendo el que establezca el lector con su propio yo, con su propia conciencia. Si estas páginas consiguen hacer posible ese encuentro se producirá algo mágico. Algo que habrá hecho el acto de escribir este libro útil y productivo. Por el contrario, si no lo consiguen, habrán merecido la pena igualmente: tal vez el lector seguirá buscando en otras páginas aquello que iba buscando y estas líneas conformarán el puente de tinta y papel que había de transitar.

Así pues, aquí comienza nuestro viaje. ¿Dejarás que mis palabras te susurren al oído las intuiciones de las que te he hablado? Si tu respuesta es sí tan solo déjame decirte: ¡gracias!

PARTE 1: POR DÓNDE NO.
Lo que te cierra las puertas.

1. Las quejas improductivas. *Energías desperdiciadas*

De energías va la cosa...

Honestamente. Con el corazón en la mano. Con la verdad por delante. Dime cuántas veces has sacado provecho de una queja. Si lo has sacado: ¿de qué tipo ha sido ese provecho? ¿Material? ¿Inmaterial? ¿Cuál fue el coste? ¿Valió la pena? Si tu respuesta sigue siendo positiva, de lo cual me congratulo, plantéate la pregunta de esta manera: ¿cuántas veces has realizado quejas que no te sirvieron para nada? Me refiero a quejas que solo sirven para regocijarte en lo que no funciona, en lo que no es bueno, en lo que no te deja nada, en lo que no esto... en lo que no lo otro... ¿Cuántas energías has malgastado aireando *lo que no...*? ¿Te das cuenta la cantidad de cosas *que si...* has dejado pasar, dejado de aprovechar? Está bien realizar una denuncia puntual, darse cuenta de lo que no funciona y no ser ingenuos ante lo que pasa a nuestro alrededor. Pero ojo, que aquí hay trampa. La crítica continuada a lo que no funciona y la denuncia repetitiva deriva normalmente en un tipo de desesperanza que se viste bajo ropa de crítica pero que termina socavando las energías que necesitarías para un cambio a mejor. No se trata de no quejarse, de resignarse; se trata más bien de hacerlo en su justa medida, con las palabras adecuadas, en el momento adecuado, y en todo caso, reservando las energías más fuertes para la alabanza y el avance en positivo. Compruébalo contigo, en tu infancia: ¿hiciste caso a esas personas que siempre te decían y recordaban lo mal que hacías las cosas? ¿Les faltaba razón? Probablemente no, la tenían y mucha. Pero minaban tus energías. No sabías por qué, pero te las minaban. Por el contrario, tus aprendizajes se disparaban ante personas que potenciaban tu creatividad y que tenían presente lo mucho que valías.

Del mismo modo, cuando tu voz interior es la que te recuerda lo mal que haces las cosas, probablemente no le falta razón en algún punto y parta de un hecho real y objetivo. Pero si esa voz se convierte en repetitiva termina reproduciendo una gran mentira: que hagas mal algo no significa que deba empañarse todo lo bueno que eres capaz de generar ni que puedas ver el aspecto general del cuadro de tu vida que contiene muchos más brillos que sombras. Déjate de quejas inútiles hacia los demás y hacia ti y emplea provechosamente tus energías. Merece la pena observar y procurar la relación con personas positivas, que no son las que te permiten y tapan todo lo malo; son las que sabiendo cuáles son tus puntos débiles, te los hacen ver solo para superarlos y ponerlos en su justo lugar; son las que, de recordarte algo, te recuerdan el oro que llevas dentro y potencian tu ser creativo: son aquellas que orientan tus energías hacia el bien, las que te encaminan a ponerte al servicio, porque se dan cuenta de que si no sirves a los demás con tus cualidades el mundo se está perdiendo algo importante.

Salvar la proposición del otro

En castellano antiguo el santo español del siglo XVI San Ignacio de Loyola hablaba de este modo para dar consejo a sus religiosos. Les recomendaba *salvar la proposición del otro*. Esto significa, simplificando, pensar bien de los demás. Si no hay motivos sólidos para pensar de otro modo, de partida, debemos pensar bien de los demás. Esto es importante para evitar las quejas improductivas e innecesarias. La cantidad de conflictos inútiles que se evitarían si procediéramos de este modo es ingente. Por no salvar la proposición del otro se enconan las posturas desde el principio y se generan situaciones ridículas y baldías a partes iguales.

Por desgracia vivimos en una sociedad que nos presenta a menudo ejemplos negativos en este sentido. Un político que de partida salve la *proposición* de su adversario en el Debate sobre el Estado de la Nación en el Congreso de los Diputados podría ser considerado como tonto. Un tertuliano que comenzara un debate comentando las bondades de los argumentos de sus contertulianos —y que no lo haga para destruirlos acto seguido— sería algo tan innovador como poco probable. En los mismos claustros de los centros docentes, sean del nivel que sean, es muy frecuente observar diálogos poco edificantes cuando ante las opiniones de otras personas se presentan las propias como las únicas válidas y continentes de sentido. Pareciera que entender los grises y la parte de razón que tiene el otro es algo así como *bajarse los pantalones,* carecer de criterio. Pero, si me permites la opinión, yo creo que ocurre todo lo contrario. Solo aquellas personas que son capaces de darse cuenta de que no poseen toda la verdad y reconocen con sinceridad la parte de razón que albergan los argumentos de los demás me parece, sinceramente, que son las que tienen verdadero criterio. Curiosamente, es más difícil —por no decir imposible— encontrar a este tipo de personas en grupos de ideologías cerradas y sectarias, precisamente porque su criterio se mantiene con personalidad propia al no cegarse por la pasión, sino más bien regirse por argumentos.

Quien quiere ver algo bueno en otra persona, lo ve; y quien quiere ver algo malo, también lo ve. En ambos casos la probabilidad es abrumadora: sí o sí. Una persona que mira con buenos ojos a los demás posee un corazón limpio. Esto no significa, o no debe, que los demás puedan aprovecharse de ella. La ingenuidad no debe ir unida a la limpieza de corazón. Que alguien mire con buenos ojos a otra persona no implica que no sepa que es débil y que puede fallar, sin duda. Pero de partida, deja a sus semejantes un poso en el corazón positivo, que puede marcar la relación futura que tenga con ellos, lógicamente, a favor. En el fondo, se trata de una actitud más inteligente que ingenua y más llena de sentido que vacía de él.

Si alguien tiene queja de otra persona, lo suyo es que hable con ella en primer lugar y se lo comente, por supuesto, sin albergar enfado alguno, después de haberlo "digerido" en su caso y sin levantar la voz. Pero mejor todavía, es centrar las relaciones en los aspectos positivos que se encuentran en la alteridad positiva. Lo digo, porque a veces, con la mejor de las intenciones o por mor de desahogar nuestro enfado, podemos hacer mucho daño —de todas innecesario— a otras personas por comentarles lo negativo en el momento menos adecuado. Esto bloquea las energías relacionales positivas y las transforma en negativas. De hecho, cuando emprendemos una relación basada en la *salvación de la proposición del otro* sobre sus aspectos positivos es más que probable que se aborden también los negativos, pero de este modo sin carga emocional negativa, lo cual libera energías hacia el bien. Así nos libramos de la queja inútil, y sin embargo, no dejamos de ser realistas y tener en cuenta las limitaciones. Por supuesto, de este modo emprendemos un camino de superación de las mismas que las sobrepasa mucho antes que yendo "a degüello" con queja y espada. Habrá casos y cosas... pero entrenarse en esta habilidad es un arte de práctica recomendable.

2. Insatisfacción permanente

La peor pobreza del siglo XXI

Mal de nuestros días. No tener suficiente. No ser suficiente. No llegar lo suficiente. No estar disfrutando de algo y querer ya lo siguiente. Desear lo que no se tiene. Aquí es importante, no obstante, realizar una distinción: una cosa es lo que denominaré —arrebatando una vez más la palabra al bueno de San Ignacio de Loyola— el *Magis* ("más" en latín) y otra la ambición desmedida. Mientras que el *Magis* nos llama a ser la mejor versión de nosotros mismos —lo cual nos insta a una exigencia personal que busca el dar siempre más, servir más, buscar la mayor gloria de Dios en la entrega a los demás, no vanagloriarse en lo realizado y ver siempre lo que a uno le falta por delante para seguir el camino del bien—, la ambición desmedida llama al vacío. Mientras que lo primero conduce a una insatisfacción que llama a despojarse de la vanagloria, lo segundo la aumenta. Los frutos de lo primero son la paz y la esperanza; los de lo segundo el desasosiego y la tristeza. Lo primero es un baúl que contiene, genera y reparte tesoros sin parar y lo segundo, un pozo sin fondo que siempre está vacío. Las dos formas de ambición llaman a la acción, pero mientras que la primera tiene como fruto la satisfacción personal constante y serena en medio de la humildad, la segunda es satisfacción efímera y convulsa en medio del egoísmo. La primera construye los nuevos deseos sobre la gratitud de lo logrado; la segunda, más bien, sobre los deseos continuos de alcanzar lo que no se tiene. La primera insatisfacción llama a la utopía; la segunda, a cosas reales y alcanzables pero que se diluyen como un azucarillo y son siempre sustituidas por otras de forma automática cuando son adquiridas. Es importante diferenciar ambos tipos de ambición. Una sirve a la bandera del servicio a los demás por encima de todo —aunque eso mismo pueda implicar ser y tener cosas— y la otra a la del ego personal por el ser o el tener como fin en sí mismos. Seamos ambiciosos, pero elijamos bien el modo en que lo somos. Seamos inteligentes y finos en el análisis. Hay mucho en juego.

Causa principal de este mal

Hecha esta importante distinción, y refiriéndome en este apartado, pues, a la ambición desmedida que nos evita disfrutar de las cosas, me atrevería a señalar su principal causa. Diría que proviene, fundamentalmente, de la falta de agradecimiento. Vivimos en una sociedad llena de estímulos que nos invitan a consumir desproporcionadamente; tanto que no tenemos tiempo material de agradecer lo que adquirimos, espiritual o materialmente. Se trata de una disputa entre los tiempos del mercado y los tiempos del ser humano. Mientras los primeros nos instan a saltar continuamente de compra en compra, los segundos claman sosiego, espacio, rumia. Por desgracia, este mal no se limita a las clases sociales pudientes. De hecho, son las clases no afortunadas económicamente las que corren el mayor riesgo de querer imitar el nivel de consumo de las que sí lo son, cayendo así en una trampa mortal: querer y no poder. Imitar el materialismo de los materialistas. Durante mis años de trabajo en barriadas humildes he comprobado lo codiciadas que son allí las marcas que visten los chicos de la élite —que también los he visto y tratado en clase, en su barrio—. Los detestan con palabras, calificándoles como "pijos"; pero luego, se hacen rapar la cabeza dejando la forma del logo de *Nike* en su cogote, esa marca que visten los *pijos*. Ellos solo llevan la imitación que adquirieron en el mercadillo, pero no dudarán en hacer lo que sea con tal de conseguir llevar la auténtica.

Si me permites una pequeña extrapolación que creo ad-hoc para este momento, te diré que siempre el capitalismo supo muy bien que en el materialismo del comunismo estaba gran parte de su propia continuidad, porque el problema no está en el modo de organización material social, sino en algo mucho más simple: el egoísmo, la insatisfacción personal. Insatisfacción que lleva bien a explotar al trabajador o bien a no estar nunca de acuerdo con las condiciones del patrón. Dicotomía capitalista-comunista que hoy día seguimos arrastrando y que ha hecho verdaderos estragos en nuestro mundo dividido. Divide y vencerás. Los autónomos —valga el ejemplo— saben bien de qué hablo, porque son patrón y trabajador a la vez.

Por eso saben muy bien que el dicho romano no tiene ni pizca de desperdicio. Cualquier organismo biológico o social que reaccione contra sí mismo sucumbe. ¿A quién interesa entonces esta división? ¿Por qué se sigue hablando de izquierda y derecha como en el siglo XIX? ¿Por qué los partidos, por mucho *twitter* que "gasten" siguen imitando sus postulados básicos y enconados? ¿A quién le interesa que este debate siga aflorando pasiones ciegas que hacen inestable y en continua tensión cualquier gobierno? Afortunadamente, y simplificando mucho al tener que etiquetar bajo estos dos grandes términos, siempre ha habido liberales-capitalistas y comunistas se han dado cuenta de que el problema no es el sistema, sino el egoísmo, que tiene la cualidad de fastidiar cualquier sistema que inventemos. Esas personas, aún desde perspectivas y lecturas de la realidad distintas suelen llevarse bien y comparten lo básico: tener corazón. Son, en el fondo y a pesar de sus líderes, normalmente extremistas que llaman a la disputa —reitero, ¿interesada?— , las que han levantado lo que otros hundían, las que han llegado a acuerdos por el bien común en la empresa privada y en los espacios públicos. Menos mal. Ojalá no se radicalicen sus compañeros y caigan en la trampa materialista de la insatisfacción y queja permanente que no mueve corazones, sino que provoca guerras. Vamos ya a la acción conjunta. Valoremos al liberal y a sus aportaciones al bien común. Valoremos al comunista y a sus aportaciones al bien común. Ambos pueden trabajar juntos. Deben trabajar juntos. Y cambiemos estos términos decimonónicos por fin. Ya no nos sirven. ¿Acaso no han bastado dos guerras mundiales —que por cierto, a juzgar por las secuelas que seguimos arrastrando no han terminado— para desterrarlos? Lo digo no solo como deseo, sino como llamamiento a imitar el botón de muestra que suponen las experiencias al respecto que han logrado superar esa dicotomía. Sí, hay ejemplos —véase lo que propone el distributismo—. Véase la transición española, con todos sus defectos, pero con exponentes clarísimos en personas como José María Martín Patino y la Fundación Encuentro, por citar solo a uno de esos constructores de puentes que han existido en la historia española reciente; puentes cuya construcción fue muy cara. No los destruyamos, y valoremos lo bueno de nuestros antecesores, especialmente de aquellos que construyeron paz. Como digo, cuando esto se logra y hay buena voluntad todo sale adelante. Por el contrario, cuando se ponen las ideologías por delante viene el caos, la guerra, la insatisfacción permanente y, aceptémoslo: de este modo nunca nos pondremos de acuerdo, porque ninguna ideología política verá jamás satisfechos sus deseos y reivindicaciones al cien por cien.

Tras la digresión política —Dios me perdone— retomo el caso de los jóvenes que más he tocado de cerca. También los hay que, queriendo seguir la moda, se gastan un *pastón*. Por mencionar alguna versión más extrema, hay vestimentas carísimas *emo* —no me detendré, pero valga decir que los *emo* pertenecen a una tribu urbana que llevaría la insatisfacción en lo más profundo de su marco estatutario, si las tribus tuvieran de eso—. Mantener esta insatisfacción permanente trae a sus padres de cabeza. Esos padres que, por ignorancia o por una mal entendida buena voluntad, no quisieron que le faltara de nada a sus hijos; padres que queriendo huir de las represivas formas en que fueron educados han dado en el mayor despropósito educativo de los últimos tiempos al no haber aprendido a decir "no" a sus hijos, o decirlo, en todo caso, a destiempo, lo cual trae todavía más daños colaterales. Menos mal que la crisis de la década de los 2010 puede haber servido —disculpa la vehemencia— para quitar muchas de estas tonterías a más de uno.

Así pues, observamos cómo en muy distintos grados y niveles, y dentro de contextos variadísimos, puede tener lugar esta insatisfacción permanente; igualmente, vemos cómo en todos los casos cuenta con un denominador común: la ingratitud. Detectado al enemigo procedamos a su fulminación. El mejor antídoto: el agradecimiento. ¿Ahora entiendes por qué este libro habla de lo que habla? Sigamos pues transitándolo.

PARTE 2: NO LO DEJES PARA MAÑANA...

Propuestas de acción.

3. De bien nacidos...

Vive con gratitud y la vida te lo agradecerá

El Evangelio esconde muchas verdades. Que *con la misma vara que midas te medirán* es una más. Inspirado en esa fuente, San Juan de la Cruz decía que *a la tarde te examinarán en el amor.* Es otra forma de decir que solo merece la pena vivir si es para hacer el bien. Quizá no siempre de la forma ni en el momento en el que esperas, pero siempre la vida vivida desde el agradecimiento da fruto. Vivir así, es vivir para el bien. Dando la vuelta a este planteamiento, piensa en todo el mal que evitas tan solo por el mero hecho de agradecer. Solo por eso, ya merece la pena vivir agradeciendo, comenzar el camino de ascenso —o descenso, que también se puede entender así— al agradecimiento.

La cantidad de cosas que deberíamos agradecer cada día es ingente. Caer en la cuenta de ello es un paso primordial en el ejercicio de vivir orientados hacia el bien; es más, si no lo haces —déjame que sea explícito— entras irremisiblemente en barrena. Probablemente encuentres normal levantarte cada día y mirarte al espejo; las personas invidentes no lo consideran normal y hacerlo sería tanto como vivir una experiencia única e irrepetible que no olvidarían nunca. Del mismo modo, y a pesar de que esas mismas personas invidentes no puedan mirarse al espejo, sí pueden agradecer que tienen la facultad de caminar, de oler, de experimentar a través del tacto lo que pasa desapercibido a muchas otras personas. Sean cuales sean tus limitaciones tienes que agradecer mucho más de lo que lamentar. Si piensas que no es así ya estás vislumbrando la barrena. Reacciona. Estás engañándote. No es verdad que tengas más cosas de las que lamentarte.

La actitud de agradecimiento genera sentimientos de agradecimiento. Se retroalimenta. Y viceversa. Quien estima que sus elementos dignos de lamento superan a las cosas que debe agradecer, termina, precisamente lamentando cada vez más. Sin embargo, quien por poco que tenga de bueno, lo agradece, termina creciendo en gratitud y la vida deja a su vez de "lamentarse" de él o ella.

Ya te dije al principio que este no iba a ser un libro de psicología académica. Sin embargo, permíteme que apunte en este momento un hecho académico: todas las teorías psicológicas que poseen estudios relevantes y con mayor influencia en las investigaciones actuales de tal disciplina apuntan directamente a las repercusiones que tienen los sentimientos positivos del agradecimiento sobre las conexiones neuronales y sobre la conducta; y esto, ya sea desde las corrientes neoconductistas o desde las neocognitivistas, por citar dos de los cauces teóricos con mayor repercusión en la literatura científica desde el último tercio del siglo XX.

La vida es más un boomerang que un espejo

Algunos gurús de la *new age* vienen a decir que para vivir una vida plena debes centrar todas tus energías en ti mismo de un modo absoluto para no desaprovechar las nuevas oportunidades que se te van poniendo enfrente; que puedes, si se tercia, rechazar el compromiso por los valores que creías importantes en tu vida si es que ese compromiso te lleva al sufrimiento, y que por tanto, si es necesario cambiar tus valores para no sufrir, debes hacerlo. El peligro de esta teoría de la *new age* en sus distintas versiones y variadísimas presentaciones es grande, y los destrozos que está provocando también, porque ignora e intenta superar, ocultar y sustituir la máxima que este capítulo pretende hacer valer: lo importante en la vida no es pasarlo bien, satisfacer el *yo*, ni siquiera perseguir la realización personal, sino buscar el bien de los demás tras un agradecimiento personal que nos lleva al servicio. Un servicio que además ha de ser incondicional. ¿Por qué incondicional? Porque muchas veces el espejo de la vida no te devuelve lo que vives exactamente. Hay personas que dan muchas cosas buenas a la vida y sin embargo sufren reveses inesperados y por demás inmerecidos; de igual modo, hay otras que son malvadas y a las que sin embargo la vida les parece sonreír. No te desanimes por esto, no te lleves a engaños, y no dejes de agradecer cuando te cruces con estas realidades. Tampoco tires la toalla ni dejes de perseguir tus compromisos con lo verdaderamente importante en la vida aunque este compromiso comporte sacrificios. Persiste porque la vida se comporta como un boomerang: sabes que lo que lanzaste al exterior y volverá, pero no sabes exactamente su recorrido ni la duración de su viaje de retorno; lo único que sabes es que volverá. Saber esto y ser pacientes incluso en medio de la tormenta y el sufrimiento en lugar de evitarlo es una dinámica vital de gran valor. Aumenta ostensiblemente nuestra tolerancia a la frustración y nuestra disposición a agradecer siempre y en todo momento, sean cuales sean las condiciones con que contemos, independientemente de lo que estimemos que deberíamos recibir. Que no haya una gratificación inmediata al esfuerzo o sacrificio que haces por el bien a los demás, no significa que debas dejar de hacerlo. Aunque encuentres teorías que puedan sonarte bien o que te guste escuchar —decirte que debes centrarte en ti y que nada merece la pena si te conlleva sufrimiento no deja de tener un componente atractivo— no hagas caso. Deja esa idea caprichosa y mantente firme haciendo el bien cueste lo que cueste. Mantén tu compromiso por los demás y por los valores importantes siempre. Lo recibirás de vuelta tarde o temprano.

Piensa ya cuáles son las cosas que debes agradecer

Si quieres ser un bien nacido tienes una tarea urgente: ¿qué es lo que no estás agradeciendo y, sin embargo, deberías? Tómate la molestia de apuntarlo en un papel. Perdona mi atrevimiento. ¿Quién soy yo para decirle a un lector que coja un papel en este momento? Seguramente, de hecho, no lo tendrás ya en tu mano. Es normal. Pero si por una casualidad sí lo haces, no quiero que pienses que será gran cosa lo que te pido. Ni siquiera hace falta que seas muy exhaustivo: cuando lleves dos o tres cosas que no agradeces escritas, para. Para por favor. Eso es suficiente. Es más, si no se te ha ocurrido más que una cosa, puedes parar ahí igualmente y simplemente comienza a agradecerlo ya. Puede ser a través de la repetición de una frase, o de un pensamiento que te traiga sentimientos positivos asociados a esa realidad que no estabas agradecimiento. Ahora vuelve a parar. ¿Qué resultados has obtenido? Quizá este ejercicio haya durado menos de un minuto, pero puede ser un minuto que cambie tu vida. Ya has comenzado a agradecer algo que no hacías antes. Ya eres bien nacido. Este es el primer paso.

Ahora, haz este facilísimo ejercicio con otras cosas. Irás cayendo en la cuenta poco a poco de más y más aspectos, quizá mañana o pasado mañana, o dentro de un mes, pero si mantienes este ejercicio, las razones para agradecer irán aumentando; irán cambiando tus sentimientos y actitudes hacia el interior y hacia el exterior. Empezarás a vivir bajo el agradecimiento y la vida te lo devolverá en forma de agradecimiento hacia ti. No lo dudes, y no dejes de practicarlo. Quizá no sea tan difícil y los frutos merecen el intento y más aún, la persistencia.

4. La felicidad de los agradecidos

*Un denominador común en los sabios:
el agradecimiento*

¿Conoces a alguna persona popularmente considerada "sabia" que no puedas asociar al agradecimiento? Yo no. Y eso no significa necesariamente que fueran personas a las que la vida viniera especialmente fácil. Por eso las considero sabias. Es decir, creo que existe una relación directa entre sabiduría y agradecimiento, mucho más que entre sabiduría y conocimiento. Mientras que el agradecimiento te lleva a la felicidad, el conocimiento, *per se*, no; y eso los sabios lo saben, por eso dedican sus energías a lo verdaderamente importante.

La necesidad de referentes claros: Dios como referente

En mi particular homenaje al quinto centenario del nacimiento de Santa Teresa de Jesús que se celebra en los días en que escribo estas letras, me gustaría dedicarle una atención especial en este apartado a la libertad desde la que escribe, así como a su claridad para decir las cosas como las piensa, sin pelos en la lengua ni vergüenza. Creo que tenerla como referente reflejará dignamente la idea de lo que quiero expresar y vendrá al pelo como mensaje directo a la línea de flotación de los aspectos más hedonistas y evanescentes de nuestra sociedad. Decía la doctora que vivía en una época de tiempos recios en los que hacían falta muchos amigos fuertes de Dios. Sinceramente, creo que los días en los que nos ha tocado vivir también conforman un tiempo recio y que también hoy ser amigos al estilo que propone la santa es el camino; ser amigos fuertes de Dios significa tener referentes claros. En tiempos en los que la bandera del imperio del relativismo ondea en los frentes político, social, moral, económico y hasta religioso, tener las agallas de seguir hablando de Dios con claridad es ya un signo, un símbolo. Por eso, permíteme con la confianza que me has brindado, que lo haga yo en estas páginas, y ya que te hablo de que hacen falta referentes claros te hable precisamente con claridad y sin tapujos —en este clima de confianza— del mío, del que tengo, junto a muchísimas otras personas que también lo tienen. En el respeto a todas las creencias, me permito hablarte de un modo totalmente claro, pues es la razón arrolladora desde la que entender cómo es posible el agradecimiento que mana sin límite. Si no hablo de Dios aquí, en este espacio de confianza que nos hemos dado, si no lo nombro, ¿cuándo lo voy a hacer? No sé si es muy conveniente; tampoco está de moda, pero me quito la vergüenza de hacerlo porque, como te digo, es uno de los secretos que entiendo se esconden detrás de la actitud agradecida. Tener a Dios como referente implica no solo nombrarlo *de boquilla* —eso atenta contra el mandamiento de no nombrarlo en vano— sino procurar una verdadera experiencia de Él, que habita en las personas, en las experiencias del día a día, *entre pucheros* que decía la santa de Ávila. Por este camino, el agradecimiento será una consecuencia lógica que hará la vida, por recia y dura que sea, agradable. Pero hace falta el referente de Dios. De Él no puede venir nada malo. Aún sin saber muy bien cómo es —porque es un misterio— podemos intuir que tiene mucho que ver con lo insondable, con la paternidad, con la maternidad, con un amor inconmensurable, con una existencia que nos precedía, nos desborda por todos lados y nos deja prácticamente mudos. Pero el relativismo nos seduce con la idea de la búsqueda de una vida fácil que nos presenta una ilusión óptica: que Dios puede no hacer falta para tu felicidad. Puede que sí, puede que no... eso lo eliges tú... Pero no es así. A Dios no lo eliges tú. Fue Él quien ya te eligió a ti. Por definición, Dios ya estaba esperándote antes de que nacieras. Es un atrevimiento, una necedad pensar que puedes descartarlo, sin más. Esto que comento no tiene que ver necesariamente con la ortodoxia cristiana. Santa Teresa no lo tuvo fácil con la misma Inquisición, con el Santo Oficio. Fue perseguida —aunque, todo sea dicho, nunca perdió su amor a la Iglesia, a la Eucaristía, a la fidelidad católica, ni siquiera cuando sufrió los rigores de sus hijos más despiadados, a quienes sabía por otro lado alejados del verdadero Dios entrañable de Jesús—. También, no obstante, fue buena amiga de personas de bien no religiosas que tenían sus dudas sobre la idea de Dios; pero sabía que aquellas que poseían un corazón sano, humilde y que buscaban la verdad ya estaban en el camino de Dios aun sin saberlo o reconocerlo, nombrarlo o creerlo. Yo creo que así pasa hoy con aquellas que dicen no creer y sin embargo tienen un corazón manso que acoge a todos y busca el bien de los demás. Ellos pueden ser unos privilegiados ante Dios mucho más que aquellos que cumplen los preceptos tradicionalmente eclesiales y sin embargo no acogen en su seno a su verdadero Ser. Quizá, el referente de los primeros esté más claro y firme que el de los segundos. Por otro lado, es necesario reconocer que los frutos de muchos de los miembros de la Iglesia en favor de los desfavorecidos, o simplemente capaces de hacer la vida agradable a los que les rodean, muestran que su centro está en algo —o más bien Alguien— muy bueno; que denotan una riqueza interior que irradian al exterior, digna de imitación. Esto, a mi parecer, hace palpable la existencia de aquello en lo que creen y que no me hablan de un cuento chino. En cualquier caso, sin una vela que dé consistencia y direccione nuestro barco el viento nos puede llevar a donde no queremos, en la inocente creencia de que todo vale, que cualquier dirección es buena. Falso. Solo lo que va en dirección del bien, y un bien compartido, que no se queda en mí, es bueno. Eso, y precisamente eso, es lo que te va a dar flexibilidad y sabiduría para saber distinguir los siempre necesarios matices; pero que no te la peguen. Solo si escoges seguir, leer, tomar en cuenta buenos referentes podrás sentir mucho mejor el agradecimiento. Eso sí, ándate con ojo, que hay mucho autor de espiritualidad "autoayuda" indefinida suelto. Escoge los referentes claros de siempre o personas que les tomen como base. Te dirán cosas que quieres oír con cánticos de sirena pero no te aportarán consistencia. Lo siento, ya te dije que en este librito te iba a hablar de tú a tú, muy personalmente. Te pido que otra vez me perdones una sugerencia tan personal, pero como este espacio, en virtud de nuestro contrato intelectual firmado en la introducción nos lo permite, te lo digo: aléjate de la nueva era y retoma los tesoros cristianos de los que, nos guste o no, somos en buena parte herederos culturales. Retornar al concepto de Dios, al que nombramos personalmente aun reconociendo que es un misterio insondable, no es baladí. Yo he empezado con Santa Teresa, no te conformes con menos. Busca figuras cristianas —y santas a ser posible, puestos a pedir...—; básicamente porque estas figuras no están centradas en el *yo* y distinguen entre creador-criatura, evitando la confusión de ambos conceptos, frecuente en muchas de las teorías y prácticas *new age* que lleva a un panteísmo de asfalto —occidentalizado— que no reconoce tu diferencia con respecto a Dios, y por tanto, tu agradecimiento ante algo superior a quien debes tu propia creación. Indaga en el pensamiento de estas figuras, en su contexto y circunstancias, así como en las respuestas teóricas, y sobre todo prácticas, que elaboran a las preguntas que más inquietan al ser humano. Prueba a ahondar en sus porqués sin prejuicios. Ellos te van a llevar más directamente a la felicidad aunque no te envuelvan el contenido en cortinas de humo. Déjate de pamplinas anestesiantes. Después hablamos de lo que quieras, incluidos los autores de autoayuda indefinida *new age*, pero hazme el favor, prioriza los que no te regalen el oído pero te hablen claro y no estén centrados en el ombligo del *yo* postmoderno. En mensajes de Facebook tú y yo hemos visto cientos de post de autores que son muy compartidos pero llevan en su misma entraña un halo de egoísmo supuestamente vestido de consejo para la felicidad; seamos críticos y analicemos a dónde nos llevan los mensajes *espiritualoides* que nos intentan vender. Te comento uno que me parece, por su similitud con otros, muy representativo: "Si quieres ser feliz elimina ya todo lo que te haga sufrir en la vida"... No sé yo, quizá haya cosas que hacen sufrir y lo mejor sea desprenderse de ellas, pero otras no. Hacen falta más matices, y no nos podemos guiar por el único precepto de que no nos hagan sufrir. Eliminar lo que no vale o es incómodo simplemente por el hecho de que no valga para algo útil y placentero, porque no sea cómodo, o porque no me proporcione una felicidad inmediata me parece, por más que se oculte bajo la apariencia de autoayuda, próximo a justificaciones maquiavélicas que priorizan el fin sobre los medios. El trazo grueso de muchos de estos gurús y sus teorías y prácticas pseudo-asépticas y poco definidas, de fondo, no me parecen sanas y creo que está prodigando mucha confusión, lo siento. Tenía que decírtelo con claridad. En contraposición, aunque puedan llegar a ser denostados y ocultos en los tiempos que corren, tienes a los santos de la tradición cristiana que nos han iluminado durante veinte siglos; sí esos, a los que te he aconsejado leer, que sabes de qué van, sin miedo a pensar que te están vendiendo algo. Siguen a Jesús, una persona de tal talla espiritual que era capaz de promover el amor a los enemigos. Podrás tú estar de acuerdo o no, compartir o no la fe en el Jesús-Dios de los cristianos, pero sabes de qué van, ya te digo. Por su razón última, lo dan y hacen todo... Y las obras, al final, les avalan. Pero estos gurús que se forran con sus teorías y luego no son *ni chicha ni limoná*, que dicen lo que a todo el mundo les gusta pero a la hora de la verdad no tienen moral definida —ni moral ni casi nada definido—... no, eso, *no lo compro*... Teniendo lo que tenemos y buscamos en cualquier otro sitio, cuando no lo denostamos... Sin embargo, creo que volveremos a valorar lo cristiano y a lo mejor de la tradición que hemos heredado cuando no quede más remedio y no veamos su carcasa, sino su esencia; esencia de riqueza indeleble que se apoya sobre roca.

Más sabios, más humildes, más agradecidos

La sabiduría guarda relación directamente proporcional con la humildad. Ya en la antigüedad, *uno* que sabía mucho, al que, de hecho, todos admiraban por su sabiduría, decía, cuando era continuamente preguntado por el origen de tal sapiencia, que en realidad solo sabía una cosa: que no sabía nada. ¿Te suena? Me temo que solo quien es capaz de avanzar en el camino de la sabiduría lo es también para percibir con claridad que le queda todo por delante. Cuanto más sabes más oteas tu ignorancia. Los soberbios creen que saben muchas cosas —probablemente con razón— pero nada les sacia; nada es suficiente para ellos. Nunca algo o alguien es lo suficientemente bueno o digno de ellos como para dar gracias. De ahí su común infelicidad. La infelicidad del rico malcriado a quien nada colma. La falta de agradecimiento es un síntoma de soberbia relevante que distingue a un sabio que sabe que no sabe nada de un soberbio que puede saber mucho pero que ignora lo fundamental. Por el contrario, una persona que irradia agradecimiento, que está satisfecha y agradecida a la vida demostrará a través de su humildad poseer la verdadera sabiduría. Sabrá que le falta mucho por aprender, pero ello no le generará impaciencia, ansia o exigencia agobiante para sus semejantes; más bien valorará lo que tiene o sabe con más tesón y, teniéndose en poco, pondrá siempre delante de sí un elenco de cosas o personas que agradecer, las cuales serán siempre razón para estar en deuda con la vida, para encontrarse en estado de alegría y contento sea cual sea su situación. Ver lo poco que es, curiosamente no le genera tristeza sino todo lo contrario: alegría y agradecimiento. Tenderá a la sabiduría a través de la búsqueda incansable de límites en el infinito, pero no para saber o tener más, sino para agradecer más, lo cual conformará su particular expresión preciosa del amor humilde y sencillo a que todo ser humano es llamado. Emprenderá entonces el camino hacia la verdadera sabiduría. Si tú buscas que esto sea una realidad en ti no esperes ni un minuto más. Empieza a mirar tu vida con agradecimiento y bájate del burro de la soberbia. Si lo haces con sinceridad la felicidad empezará a asomarse a tu puerta y descubrirás un paraíso, un horizonte nuevo, inefable e increíble que estaba al alcance de tu mano.

5. El agradecimiento transgresor

El don de tolerar la frustración

Los psicopedagogos manejamos un concepto con relativa frecuencia en los ámbitos educativos al que atribuimos grandes beneficios. Se trata de la tolerancia a la frustración. Resumiendo mucho y sin el propósito de hacer una definición académica diríamos que se trata de la capacidad de soportar que las cosas no sean como quisiéramos que fueran. Siguiendo en el ámbito educativo te puedo decir que he escuchado a cientos de profesores —sobre todo desde una de mis actuales tareas, la de acompañante de alumnos en prácticas de Magisterio— decir que uno de los principales problemas que tienen en clase es que sus alumnos no aceptan un "no". Del mismo modo, echan en falta que ese "no" les sea dicho en casa, que ya tengan los límites claros de lo que se puede y lo que no, desde el hogar. Sin tratar de quitar esa responsabilidad no suficientemente asumida desde la familia —al menos a escala global—, lanzo una pregunta: ¿cómo educar en el "no" cuando los modelos sociales existentes proponen el hedonismo como ideal; cuando proponen el cumplimiento de los deseos ilimitado como el objetivo de una vida exitosa; cuando se intenta ocultar que los éxitos verdaderos y duraderos tienen detrás historias de fracaso y de perseverancia en la dificultad; cuando el amor queda supeditado a la satisfacción personal de las pulsiones o emociones temporales, más o menos pasajeras y no a una escucha de la necesidad del otro que pasa por el sacrificio —palabra tabú— de *mi* por *ti;* cuando lo importante es vivir a tope sin privarse de nada, esté o no a tu alcance; cuando se confunde la apertura de mente con el "probarlo todo" o "todo es bueno", espiritualidad con desarrollo personal egocéntrico, lo importante con lo superfluo, la felicidad profunda con la epidérmica; cuando, bajo el imperio de la incredulidad se promueve el más pueril conjunto de credulidades; cuando con el pretexto de superar la culpa se propone un modelo moral en el que esta se encuentra totalmente diluida o tan directamente ausente que al final no la supera, sino más al contrario, la aumenta y nos hace estar anclados a ella con más fuerza. Pura ingenuidad de una sociedad inmadura, postmoderna y consentida cuyo mejor antídoto ha sido —o está siendo, según se vea— la llamada "crisis", que hace referencia generalmente a una crisis económica que en el fondo es crisis de otros elementos mucho más profundos; pero bueno, este toque de atención sobre nuestra economía, sobre el nivel de consumo medio insostenible es lo único que nos podía sacar, aunque sea momentáneamente del noqueo. No obstante, nuestra inconsciencia puede volvernos a hacer caer en la misma piedra en cuanto se pase mínimamente la estrechez generalizada, así somos. La sociedad que oculta o ignora la muerte y el sufrimiento está abocada más que ninguna otra a la muerte y al sufrimiento. Menuda paradoja. Para superar la crisis, la dificultad o la muerte —a esta última más bien se la acepta porque poco más se puede hacer con respecto a ella en

este mundo—, hay que hacerles frente de forma va-
liente. Tenerlas en cuenta. Sí, ya sé que no es políticamente correcto decir esto y un tanto fuerte. Ya te
he dicho que quiero ser claro y directo contigo. Si
algo bueno hay que sacar de la crisis económica en
occidente —con todo lo injusta que ha sido al tener
su causa en un profundo egoísmo, primero por parte
de los más pudientes hacia las clases económicamente
inferiores y después por parte de estas últimas que,
imbuidas por el mismo materialismo reproducen el
esquema y aspiran, sobre otras prioridades, a tener un
nivel de consumo lo más alto posible, si es necesario,
incluso aunque no se pueda sostener. Con la crisis
podría ser que por fin, sí o sí, haya habido que decir
no. Privarse de cosas. Y… ¡arrea!… vimos que existía
al final del túnel algo que se llamaba austeridad y solidaridad. A pesar del manoseo que han sufrido ambos términos en estos años, hemos de reconocer que
son la única solución. El problema es que los supuestos teóricos de los modelos sociales aún imperantes
—modelos de persona, de amor, de éxito, de ocio
ideal…— se caen en la práctica. Son mentira. Se trata
de ilusiones *ópticas* ante las que las familias a veces no
son ni siquiera conscientes pero, el hecho, es que van
metiendo a sus propios hijos en una forma de vivir
que tira por esos derroteros. Cuando quieren acordar,
es demasiado tarde para decir *no;* y, aunque es lo siguiente, inevitable, aún hay algo peor a no haber dicho un *no* a tiempo: decirlo a destiempo. Entonces
viene la debacle, el conflicto continuo, el desastre aún
mayor. Por eso, tan importante es saber decir no y ser

consistente en ese ejercicio, como elegir el momento y las formas adecuadas. Activar los resortes educativos a tiempo necesarios para superar la mayoría de los modelos imperantes propuestos por esta sociedad caprichosa y hedonista se presenta como un deber personal y social nuclear en nuestros días. Por eso, dotarnos a nosotros mismos y dotar a los demás de herramientas que ayuden a tolerar la frustración y a ser personas capaces de agradecer en medio de procesos frustrantes debería ser algo prioritario.

Pasemos, pues, al lío, al tomate. Te pregunto: ¿toleras la frustración? ¿Eres capaz de soportar tus propios defectos, límites, incapacidades, impotencias —lo cual no significa no tratar de superarlos, por supuesto—? ¿Eres capaz de soportar todos estos elementos de los demás? ¿Cómo te comportas, cómo reaccionas, qué resortes pones en marcha cuando un proyecto no sale como esperabas? ¿Qué haces cuando alguien o algo te defrauda? ¿En qué o quién pones tu confianza última? Y ahora la más importante: ¿eres capaz de agradecer en esas situaciones? Ahí está tu caballo de batalla. Si encuentras razones para agradecer vas en camino. Te lo repito: sé que no es muy políticamente correcto; no es lo común; no es lo que te vas a encontrar por ahí; pero si quieres ser feliz, debes ser capaz de agradecer incluso lo que no te viene bien. Como en el chiste de la buena y la mala noticia: primero, hay que saber que existe una mala noticia que asumir; y segundo, el orden en que se presentan ambas noticias importa. Mejor comenzar con la mala:

existen cosas desagradables y forman parte de tu vida; pero hay otra buena: puedes transformar todas esas cosas desagradables hacia el bien. Después podrás encontrar las razones de por qué te pasó esto o lo otro; podrás verlo de otra manera; seguro que te surgirán otras oportunidades y caminos inesperados que jamás hubieran aparecido en tu vida de no ser por esos capítulos frustrantes, que entonces, entenderás como esenciales, primordiales, fundantes de nuevas etapas o proyectos que te edificaron como nada pudiera haberlo hecho. Pero hace falta valentía, ir contracorriente, agradecer en la desdicha, reconocer y acoger la desdicha misma, superar las opiniones o pensamientos negativos que intentan engañarte, hundirte al fin y al cabo. Estos pensamientos negativos —muchas veces continentes de medias verdades que les otorgan cierta verosimilitud— pueden ser, sin ir más lejos, los que elaboras tú. Llaman una y otra vez a la puerta de la sala de control del barco de tu vida; se quieren apoderar de la sala de máquinas —tus energías— y del timón para dirigirlo a su antojo. Si quieres seguir siendo tú el capitán te aconsejo no ignorar, sino más bien identificar, hacer presentes y conscientes para después poderlos superar sustituyéndolos por otros más positivos, potentes y motivantes que te dirijan más eficaz y directamente a los objetivos vitales que realmente valoras, esos que de verdad te dan la felicidad y que te aportan consistencia. Para ello es necesario que comiences a plantearte seriamente esto que te digo de madurar agradeciendo en la desdicha, tengas los años que tengas. Se puede madurar a los cien. Se trata de que toleres la frustración. Te propongo este comportamiento transgresor, y es que, ¿puede haber algo más transgresor que la dulzura del agradecimiento en medio del fracaso? Quizá no es la transgresión que esperabas, pero lo que tenemos entre las manos es algo innegablemente transgresor y contracultural. Por esto mismo puede ser sugerente, atractivo, diferente. No se trata de una transgresión cualquiera. Se trata de una muy particular, que no por ser poco frecuente deja de ser importantísima: gracias a ella te educarás y estarás en disposición de hacerlo —en la medida en que puedas entrar en el terreno sagrado de los demás— con los otros.

Más allá del pataleo

Supera el pataleo. Deja de quejarte. No esperes las condiciones ideales, que todo esté bien. Despierta, porque ese momento nunca llegará. Es cierto, siempre hay cosas que no te explicas, en ti y en los demás. ¿Cómo es posible que esto o lo otro ocurra? ¿Qué esto o lo otro haya pasado? Cosas que echarte en cara, o aún peor: cosas que echar en cara continuamente a los demás. Sin embargo, tienes delante de ti lo más hermoso. Ten presentes las limitaciones y aspectos desagradables de tu vida —principalmente de la tuya, que es de la que te tienes que ocupar en primer lugar—, es importante, pero comienza a ver lo bonito ya, en medio de la tormenta, lo bello en la vorágine. El pataleo, la queja sistemática y la continua exposición pública de estas no arreglan nada y son cómplices de la inacción, pues conllevan la pérdida de la energía que necesitas y, aunque lleven verdad, destruyen, aportan negatividad. Pierdes demasiadas fuerzas en patalear. Tienes por delante una tarea mucho más urgente: la construcción de un puente que lleve directamente a tu mejor versión. En esa construcción, la fase de denuncia debe pasar rápidamente a la fase de propuestas de solución y de estrategias inteligentes y positivas. Se construye con ladrillos de positividad, de entendimiento, de perdón y de amor. Si no quieres malgastar tu vida y dedicarla a un burdo engaño que te va a sumir de infelicidad, toma estas herramientas de trabajo y comienza la obra hoy mismo. No tienes un minuto que perder. La frustración, esa frustración que puede atormentarte se convertirá precisamente en la excusa para el comienzo de una bella historia de amor cuyo principio básico es el agradecimiento. Analízala con detalle y comprueba cómo lejos de ser un motivo para quejarte continuamente puede suponer el punto de arranque que necesitabas para activar nuevas motivaciones que asentarán y reafirmarán tus valores más profundos y auténticos.

6. El agradecimiento inteligente

Formas de inteligencia

El tema de la inteligencia es apasionante. En el mundo educativo, bastión, campo de batalla y supuesto semillero para su cultivo se han dado pasos muy importantes en los últimos años en cuanto a su concepción y repercusión sobre el currículo. Principalmente esos pasos se han encaminado a una nueva consideración del alumno inteligente, que ha sido disociado del alumno escolarmente exitoso, o al menos no es ya unido necesariamente. De esta forma, el concepto de inteligencia adquiere una mayor complejidad y adquiere tonos, matices y colores distintos no considerados tradicionalmente desde el currículo escolar que dan explicación a la lógica que nos hacía entender que la inteligencia era algo más que capacidad de memorización y reproducción. Sin pararme a decirte cuáles son todos los autores que han hecho posible estos avances, al menos en la teoría, déjame recomendarte a Robert Sternberg —con su teoría de la inteligencia triárquica— y Howard Gardner —con su teoría de las inteligencias múltiples—. Son más profundos que Goleman y su libro *Inteligencia emocional*, de gran impacto pero fundamentalmente divulgativo y mediático. Además, las aportaciones provenientes de la biología y la neurología —con autores que la aplican al campo educativo como el buen especialista Víctor Santiuste— alumbran conclusiones más que interesantes sobre los campos de activación cerebral y su estrechísima vinculación con el rendimiento académico y las distintas formas de inteligencia. Con todo, estos importantes descubrimientos no muestran más que el principio de la madeja y evidencian que el ovillo no ha hecho más que comenzar a deshacerse. No obstante, esta concepción de la inteligencia que introduce nuevos elementos a tener en cuenta es susceptible de ser utilizada por malos profesionales que la convierten en motivo para llevar el ascua a su sardina —la de una educación supuestamente nueva que se puede permitir el lujo de prescindir de valores esenciales— y obviar que el esfuerzo, el respeto y el orden en un aula siguen siendo fundamentales hoy, ayer y siempre, pero hecha la acotación, igualmente justo es decir que por fin la inteligencia en el aula es más que lo de siempre. Hay mucha tela que cortar si nos ponemos a analizar solo los cuatro autores que he mencionado y sus lúcidas aportaciones, pero valga su aparición en este capítulo para al menos traer al escenario un par de conclusiones interesantes: la primera, que la actitud inteligente puede adoptar diversas formas; y la segunda, que en todas ellas los aspectos emocionales poseen un papel relevante.

Una actitud nada ingenua

Con el mimbre que proporciona la breve introducción sobre la inteligencia que he realizado en este capítulo entenderás mejor por qué digo que el agradecido es un ser inteligente. Al hablar de agradecer en medio de la dificultad y todas esas cosas que te vengo diciendo y que pueden parecer, por infrecuentes y poco observadas en el común de los mortales, un tanto extravagantes y exóticas, es importante que caigas en la cuenta de una reflexión que te evitará tropezar en la trampa a que te puede llevar una aplicación errónea de la lógica: vivir desde el agradecimiento no es fruto de la ingenuidad. La propuesta que te realizan estas páginas no es fruto de un *buenismo* lelo que te lleva a poner cara de tonto mientras te la dan. En todo caso, mejor es parecerlo que serlo, pero desde luego que no es así. Más al contrario, el salto hacia el desarrollo de tu inteligencia solo puede alcanzar su grado máximo aplicando los principios del agradecimiento, por duras que hayan sido las situaciones que hayas vivido y por muchos que hayan sido los *palos* que te ha dado la vida. Un *resabiado,* como dicen los castizos, no es más sabio que un agradecido; y un agradecido no puede serlo si se *resabia* o, dicho más correctamente, si se rebela contra lo que le acontece. Me detendré en las repercusiones psicológicas del agradecimiento en el capítulo que dedico a ello, pero déjame que por ahora te diga con firmeza que viviendo así comprobarás cómo la lucidez empieza a visitarte cuando menos te lo esperas y cómo ya no te ahogarás en un vaso de agua como antes solías hacer, incrementando así tu capacidad de rendimiento en todos los campos de forma exponencial. Comenzar este trecho es muy inteligente, mucho más de lo que pueda parecer; más incluso de lo que yo te pueda explicar aquí. De hecho, mi objetivo no es explicar, sino sugerir; hacer que simplemente lo intuyas. Si lo consigo ya será mucho, pues la posesión de esa intuición se convertirá en el principal acicate que te moverá, primero hacia la proyección de tu nuevo *vivir en el agradecimiento* y después hacia su aplicación práctica. Es cierto, lo reconozco: si te tomas en serio las indicaciones que te propone este libro puedes ser una *rara avis*, pero te aseguro que al menos no serás una *avis* tonta. Si como te apunté en páginas anteriores, los sabios son agradecidos, tomar su camino no debe ser una actitud baladí.

7. ¿Cuántas cosas has agradecido hoy? *Empieza aquí y ahora*

Todo es digno de agradecerse

Hay personas a las que nada viene bien, sin embargo, a otras, todo les viene "a la mano". ¿Dónde está la diferencia? ¿Por qué a algunos individuos todo les sale bien mientras que a otros todo les sale mal? ¿Es verdad que hay personas que nacen con estrella y otras estrelladas? ¿Qué hay que hacer para pertenecer al club de las primeras? La verdad es que las circunstancias vitales de las personas son tan complejas y dependientes de tantas variables que como dijo el gran Ortega, solo se puede decir con certeza que cada persona es *ella y su circunstancia*. No obstante, en un ejercicio de atrevimiento —no lo niego, también de cierta provocación— me atrevo a decir alguna cosa al respecto del control que tenemos las personas sobre nuestro propio destino. Me convence la actitud de personas a las que la vida ha puesto adversidades pero eso no mina su mirada positiva, sino que, al contrario, fortalece su espíritu de lucha para apreciar aquellos aspectos luminosos de su vida, los cuales, por pura retroalimentación y una especie de justicia cósmica, se van incrementando. Se trata de aquellas personas felices que, teniendo mil y un motivos para no serlo son capaces de mirar lo bueno de sí mismos y de los demás y aumentar de forma exponencial sus competencias afectivas, decantando todo su potencial y generando experiencias no solo superadoras de la adversidad, sino también positivas en sí mismas y compensadoras, con creces, del mal que pudo haberlas originado. Es decir, son personas capaces de sacar bien del mal. A estas, les llamo personas agradecidas. Las admiro, y seguro que tú también. Creo que esto lo sabemos todos, por eso considero absurdo permanecer en ceguera ante la realidad, pero el ser humano es tan obstinado que parece reafirmarse a fuerza de negarla. Es como si a pesar de tener certezas de que un camino no es bueno quisiéramos volver a tomarlo tantas veces como fuera necesario hasta toparnos nuevamente con el final del mismo, que ya habíamos comprobado que no llevaba a ninguna parte. Pero lo tomamos. ¿Cómo es posible que estando, como estamos, hartos de comprobar que las personas exitosas desde el punto de vista emocional, son aquellas que irrandian luz, positividad y esperanza, no las imitemos? Inexplicable. Siguen siendo referentes, no obstante, en nuestra sociedad muchas personas que no tienen nada que ver ni con la luz, ni con la positividad, ni con la esperanza. Nos seguimos mirando en el espejo equivocado. ¿No te has dado cuenta acaso de que las personas que son agradecidas llevan de serie esos atributos que debiéramos anhelar? Así como se dice que *el dinero llama a dinero*, ¿no será que el agradecimiento también llama a más agradecimiento, y este, a su vez, a la abundancia de bondades que hacen la vida plena y precisamente vivible? ¿Por qué nos afanamos entonces en encontrar las razones de mil y un *peros* que pueden ser muy verdaderos pero no son más que obstáculos inservibles en el camino de la vida?

¿Qué más se puede pedir que una vida na? Pues algunos nunca llegan a tenerla porque nunca poseen lo suficiente como para agradecer; se les va la vida en el *a ver si...* y no tienen tiempo de agradecer lo que tienen delante de sus narices. Es de necios despreciar la buena noticia que significa que podamos establecer la medida de nuestra plenitud. Tú eres el juez que tiene en su mano la potestad de legislar acerca de qué es digno y no de agradecerse. ¿Por qué convertimos esa legislación en incumplible, y encima, hacemos cobrar su incumplimiento tan caro? Pensando que la felicidad está en el *a ver si...* se nos pasa el *gracias por...*

El ser humano está llamado a la abundancia de bienes, eso está claro; pero no confundir, el mayor bien es apreciar lo que se tiene alrededor —lo más valioso no lo posees, simplemente te acompaña—. Dar gracias por todo y por todos; actuar en consecuencia, amando a la realidad conformada por esas cosas y personas hasta el extremo. Un amor sin límites tan agradecido por lo sencillo que encuentra en eso mismo, en lo sencillo, la razón de su contento. Es maravilloso caer en la cuenta de esto. Afortunadamente está al alcance de cualquiera. Solo hace falta pararse a reflexionar y aislarse mínimamente de lo que tantas veces nos venden y nos creemos, que va en otra línea. Y... dejarse de tonterías, el momento es ahora y el instante ya.

¿...Pero también me pides que agradezca lo que viene torcido? ¡Ni hablar!

"Pídeme lo que quieras... pero no me pidas esto". Estas son las palabras que pudiera articular cualquier persona a la que se le propusiera agradecer lo que viene "torcido". ¿Qué pasa? ¿Nos hemos vuelto locos? ¡Pues solo faltaba eso! Sin embargo, con toda claridad me atrevo a decir que aquí está la clave de la verdadera felicidad. Vivimos en una sociedad que nos acostumbra al éxito fácilmente y nos hace huir del fracaso. Nos hace asociar la felicidad al éxito y la infelicidad al fracaso. Sin embargo, la lógica de la verdad se impone. La vida nos da éxitos, sin duda, ¡menos mal! Pero, no nos engañemos... está llena de fracasos. ¿Qué hacemos con ellos? ¿Es que si hay fracasos ya no podemos ser felices? Dicho de otro modo, ¿solo podemos ser felices si obtenemos éxitos? Esta no es una cuestión baladí. Nos jugamos mucho en la lidia de los fracasos, y sin ir tan lejos, de aquellos eventos que, sin ser fracasos, podemos interpretar como desafortunados, o que simplemente no nos vienen bien. Se puede ver como algo ingenuo o tonto. ¿A quién se le ocurre agradecer que algo no le venga bien? Pero agudicemos la mirada. Yo creo que ocurre todo lo contrario. Es genuino. Y tiene su explicación: hay que poner mucha más creatividad en un proceso en el que tienes que agradecer algo que no viene bien que en cualquier otro proceso en el que las cosas salen rodadas. Es más, me atrevo a decir que las personas verdaderamente exitosas —y no, no me refiero a esas que exhiben sus momentos "guays" en facebook— son aquellas capaces de ver lo que no viene como esperaban como algo que les obligará a ir por otro camino y son capaces de embarcarse en la aventura de recorrerlo. Ellas saben como nadie reconducir las energías y focalizar en un nuevo objetivo, o en el mismo modificado en función de un fracaso que no ven sino como el requisito necesario para la obtención del próximo éxito. Si finalmente este no llega son capaces de ver, precisamente el proceso de readaptación que por el mero hecho de buscar alternativas han tenido que realizar como algo que ya en sí ha sido un éxito. Irremisiblemente, no obstante, el destino suele conceder a estas personas algo bueno tarde o temprano por virtud de una suerte de justicia que termina otorgándoles lo que merecen. Como poco, al menos sus fracasos suelen verse minimizados. Pero hace falta mucho coraje para optar por esta conducta vital, tener un corazón y una cabeza muy acostumbrados a agradecer, muy entrenados; el suficiente para que, en las duras y en las maduras el hábito pueda ser establecido.

En los últimos años he podido colaborar en la traducción de libros de psicología de la tercera generación de terapias de psicología contextual. En esos textos me he topado con aprendizajes fantásticos sobre la flexibilidad psicológica, aportando fundamentos que explican de un modo loable las razones del fenómeno que explico en este subapartado. Sin embargo, no me voy a adentrar en este campo que dejo para otros espacios y libros más técnicos. Tan solo quiero sugerir que es interesante ver los inconvenientes y las dificultades como algo inevitable con lo que se puede capotear bastante bien, sin evadirlos, sino más bien afrontándolos de modo constructivo —incluso como ventajas necesarias precedentes a éxitos venideros—, ya que se optimizan mucho más nuestras energías. Valga por tanto la sugerencia en estas breves líneas para hacer pensar al personal que algo bueno se nos escapa si no somos capaces de agradecer —no ya "soportar"— incluso "lo malo". ¿Que es de locos? Bueno, pues sí, pero la genialidad se encuentra en la misma frontera de la locura y solo se hace accesible a los atrevidos que se arriesgan a rondarla.

Las cosas y las personas, por naturaleza, poseen belleza

Esta es una verdad que a veces no somos capaces de observar porque nos creemos aquel refrán que dice "piensa mal y acertarás". No voy a ser yo quien diga que nunca se cumple este refrán, pero, ciertamente, no hace mucho bien terminar creyéndoselo. Afortunadamente, la realidad es mucho mejor de lo que muchas veces pensamos. Las cosas y las personas son hermosas porque contienen, todas, algo hermoso. Es posible que esté oculto, pero está.

Pero bueno… ¿Cómo me puedo atrever a decir esto? ¿Es que no voy a escarmentar después de comprobar todas las maldades que el ser humano es capaz de cometer? Calumnias, zancadillas, orgullo, afán de poder, de sobresalir sobre el resto a costa de cualquier cosa, falta de escrúpulos en todos los ámbitos de la vida posibles, capacidad de aplastar a los demás, asesinatos, delincuencia, explotación laboral, sexual... y tantas otras ofensas infringidas entre seres de la propia especie, sin dejar de lado todas aquellas más pequeñas que diariamente comete hasta la mejor persona que pueda poblar el orbe. ¿Es que no es suficiente prueba de la preponderancia de la maldad humana la ratificación de que, por contra, la bondad es una piedra preciosa que solo exhiben algunas personas, contadas, en el desfile de la vida? Pues ahora verás: creo encontrar razón de mi afirmación más allá de un optimismo buenista, que por otro lado, a nada bueno nos llevaría. No se trata de ser ingenuos, sino más bien de no perdernos —por cenizos— la belleza de la vida que nos pasa por delante. Creo haber encontrado esa razón fundamental con suficiente fuerza en mi vida en general, pero de una forma particularmente "objetiva" durante los años en que me he desempeñado laboralmente, afortunadamente, en el ámbito de la educación. Mi trabajo como psicopedagogo me exige tratar de buscar lo bueno de las personas y potenciarlo al máximo. Incluso en los casos más difíciles. A fe que, ciertamente, siempre lo he encontrado. A veces es la propia persona la que se afana en ocultar sus propias virtudes, casi siempre cometiendo actos que se encargan de velar todo su potencial, todo lo bueno que tiene; no obstante, innegablemente, lo bueno se encuentra dentro de él o ella siempre y siempre hay un camino nuevo que explorar hacia la bondad en alguna de sus facetas, hacia el desvelo de aquello de bueno que aún no ha salido. Es apasionante comprobar cómo en el campo de la educación estamos investigando cada vez más formas de hacer sobresalir esas potencialidades y ciertamente las vías por explorar van saliéndonos al paso de una forma eternamente creativa. Por eso, me atrevo a seguir creyendo que existe una belleza inmanente en las personas siempre —manifestada en diferentes grados— y a atribuir, por tanto, un papel esencial no tanto en la bondad o maldad de las cosas o las personas *per se,* sino en mi —nuestra— capacidad para observar con ojos que sepan detectar lo que ya, de serie, hay de bueno. Creo que las conductas son influibles y creo que siempre puede existir una orientación que ayude a su descubrimiento.

Cuando se mira así al mundo, el mundo cambia a mejor, y sin quererlo, nuestra propia persona también cambia a mejor. Es una cuestión perceptiva; como ya dijeran los gestaltianos en pleno siglo XX, afinando más lo que la filosofía aristotélica puso sobre el tapete más de dos mil años antes al presentar la capacidad del ser humano de construir su propia realidad, nuestro mundo es como es en tanto es percibido. Ciertamente, contra el relativismo al que nos puede inducir el pensar que la realidad de algo o alguien depende de cómo sea percibida, sería muy conveniente no dejar de tener presente la perspectiva tomista que nos advierte que más allá de nuestra percepción, existe la *esencia* de las cosas o personas, que es lo que les hace ser precisamente lo que son, independientemente de cómo sean percibidas. En resumen, podemos decir que distinguiendo y asumiendo existencia de una realidad objetiva, nuestro mundo, bellamente creado y las personas, bellamente creadas, deben ser admiradas desde su bondad, presente u oculta en estado potencial. Esto —aquí está el truco— es imposible hacerlo sin un corazón agradecido a la existencia de todo lo creado, capaz de reconocer los surcos de esplendor que se esconden en la esencia de todas las cosas, de todos los seres y de todas las personas. Es fácil —y por supuesto necesario— agradecer lo espectacular, lo explícitamente bello y bonito. Pero te reto a que tengan el valor de experimentar el agradecimiento de lo sencillo, de lo pequeño, e incluso de lo potencialmente bello que se encuentra dentro de una apariencia menos explícita. Esto te llevará, a su vez, a más agradecimiento y a agudizar tu capacidad para detectar la belleza y la bondad, esas razones en definitiva, que se encuentran detrás de una lectura con sentido de la vida. Hay una ventaja que tiene todo esto: mirar con sencillez lo sencillo es sencillo. No necesita mucha más explicación —aunque el tema da para mucho más y desde muchos más campos—. Pero ahora no nos interesan. Suficiente con lo que les he comentado. Prueba. Con entrenamiento en este sencillo ejercicio, en esta caída en la cuenta, encontrarás que brota la alegría que es consecuencia lógica sobrevenida a la actitud del agradecimiento.

Experiencias de los que se van a morir y valoran lo más sencillo

Es una pena tener que verse en las últimas para darse cuenta de que no merece la pena vivir en el lamento, y que más bien, la mejor manera de aprovechar el tiempo es agradecerlo y darse cuenta de que hasta las cosas más nimias son dignas de valorarse dentro de ese intervalo, más corto de lo que nos imaginamos. Pero así ocurre... Me cabe, pues, plantearte la siguiente pregunta: ¿por qué coinciden todas las personas que saben que se encuentra próxima su partida de este mundo en plantear el tiempo como el espacio que llenar con el agradecimiento de las cosas sencillas? Tú, como yo, sabes que hay una razón de urgencia. Como se sabe que no se va a vivir mucho, se intenta aprovechar al máximo lo que queda; como se sabe que no habrá tiempo para lo accesorio, se da prioridad a lo fundamental; cabe preguntarse entonces, ¿siendo fundamental, puede ser a la par sencillo este modo de vivir? ¿Por qué entonces, y —muchas veces solo entonces— se piensa en que no hay nada más importante ni valioso que un "te quiero", un "perdón", un "gracias"? Primera conclusión: lo fundamental es precisamente por serlo también sencillo porque los elementos que sostienen la felicidad más profunda del ser humano apuntan más a la desnuda sencillez que al bombo y la alharaca.

La lección que nos da esta experiencia compartida por tantas personas que han pasado por este mundo dando el testimonio de la urgencia del amor a los demás cuando ya les quedaba poco entre nosotros nos debe llevar a caer en la cuenta de que, en el fondo, todos nos encontramos en la misma situación. Esta toma de perspectiva nos ayudará a tomar mejores decisiones y a invertir de un modo mucho mejor nuestro tiempo. El hecho de percibirnos como sujetos finitos, inminentemente finitos, nos dará objetividad y, con cierta frialdad, nos hará darnos cuenta de que nuestra condición de mortales no varía mucho de la del paciente que está en el lecho de muerte. Pero bendita frialdad que nos lleva al calor del aprovechamiento espiritual del tiempo. Nos encontramos en una situación en la que lo único que cambia con respecto al moribundo es la longitud de espacio temporal hasta el momento de partida, pero básicamente es una cuenta atrás igualmente. ¿Cómo desperdiciar el tiempo que queda en cosas superfluas? He aquí la paradoja: dediquémoslo a lo importante, que consiste precisamente en retornar a lo sencillo: decir "perdón", decir "te quiero" y sobre todo, decir "gracias".

Agradecer es gratis, vivir contentos también... El gran valor de la gratitud

El dicho "no es más feliz el que más tiene, sino el que menos necesita" refrenda el hecho de que el valor del agradecimiento es directamente proporcional a la felicidad que provoca. También pudiera decirse que "no es más feliz quien más tiene sino el que más agradece". Mirar la vida de forma agradecida da calidad de vida, porque rebaja las exigencias con respecto al entorno que nos rodea de forma drástica, y de rebote, también con respecto a las exigencias creadas sobre nosotros mismos, lo cual da bastante tranquilidad y quita muchas autoflagelaciones sin sentido. Sin embargo, al ser un elemento más dinamizador que bloqueador del desarrollo de cualquier faceta de la persona, el agradecimiento es capaz de promover a la acción; es decir, que rebajando las exigencias, de forma paradójica, aumenta la producción del talento personal. Por tanto, el agradecimiento no es solo una palabra bonita, es mucho más, incluso para alguien que tuviera una mentalidad meramente economicista. En términos de valor, por la cualidad final de favorecer la acción, y en última instancia, la producción personal, el agradecimiento debería ocupar posiciones de privilegio en el imaginario banco que guarda las riquezas humanas. Desgraciados nosotros que preferimos seguir engrosando en nuestra cuenta los *debes* a que nos abocan las exigencias antes que los *haberes* que otorga como consecuencia el agradecimiento.

Al aminorar las exigencias hacia los demás o hacia el devenir de los acontecimientos vitales propios dejamos de percibir con tanta nitidez lo que nos falta y empezamos a darnos cuenta de todo lo que nos ha sido dado, pasando del plano del *pagaré* al del *regalo*. Ya no exigimos a la vida los pagarés que nos debe, sino que le agradeceremos los regalos que nos pone constantemente delante de nuestras insensibles narices. Esto lo cambia todo. Cambia ni más ni menos que el rol que jugamos en la vida: dejamos de ser acreedores para convertirnos en premiados, y esto, ante cualquier eventual situación, en igualdad de circunstancias. Lo que cambia es el color del cristal con que las miramos. El regalo no es apreciado por lo grande —en cualquier sentido— que sea, sino por la bondad, admiración y sorpresa con las que se acoge, lo cual, curiosamente aumenta la percepción de su valor y su valor real mismo para con nosotros. Así, el control sobre lo importante en la vida, lo que se valora, no está en la situación externa, sino en la persona; es decir, poner en marcha los resortes del agradecimiento nos permite ni más ni menos que tener la sartén por el mango. ¿Interesante cuestión, no?

Las quejas son piedras que cargar en la mochila de la vida

De la queja a la pesadumbre hay solo un paso; por contra, y afortunadamente, de la asunción de la realidad a la fortaleza en la dificultad exactamente el mismo paso. Bastante lleva ya la mochila de la vida como para echarle más piedras pesadas. Si tenemos que meter algo en esa imaginaria mochila, que sea promotor de nuestra energía, pero no su dinamitador. El cortoplacismo hace percibir la queja como una liberación, una catarsis necesaria ante los pesares que cada día acontecen. Sin embargo, los efectos a medio y largo plazo —y lo que es peor, también a corto— son devastadores. Si no fuera por la pena que merece, me produciría curiosidad ver cómo, bajo el pretexto de indignación o justa protesta terminan las piedras en que se convierten las quejas que les comento, por causa de su enorme peso, mermando las energías no solo de nosotros, sino también de las personas que nos rodean. Hay que ser prudentes en la petición de nuestros derechos —legítimos y necesarios— porque si nos descuidamos, casi sin darnos cuenta podemos incurrir en un olvido deliberado de los de los demás y la tendencia humana —digno es de tenerse en cuenta— tiene la fea costumbre de merodear demasiado a menudo las fronteras de los derechos ajenos, hasta el punto de no tener muy claros los límites y beneficiando, en caso de duda, *los míos*, que son los que importan. El problema de la reivindicación desde la queja sistemática es que anquilosa y proporciona el mal humor necesario para quedarse sin propuestas. El conocimiento y la posterior aceptación de la realidad es amplia de miras y constructiva; la queja sistemática, parcial y destructiva, no. Razones suficientes como para dejar a un lado las piedras que para nada nos hacen falta en la mochila. Dejémoslas y llenemos ese espacio de agradecimiento, mucho más dinámico y enérgico.

Agradecer no es resignarse

La ausencia de queja no implica resignación ante lo injusto o inmoral. Pensar que la ausencia de queja conduce necesariamente a la resignación buenista y mema es un burdo engaño porque obvia la útil herramienta comunicacional en que se constituye la asertividad. El matiz que diferencia la queja de la exposición asertiva es bastante interesante. La asertividad, resumiendo mucho, es la capacidad de expresar lo que se piensa con claridad sin menospreciar las opiniones ni posiciones ajenas, ni mucho menos la dignidad de la persona que no lo comparte. Más por la inteligencia que demuestran las personas que son capaces de la comprensión de este concepto que por la ignorancia de las que lo denostan, desde estas páginas quisiera apelar a su práctica para ganar enteros en el arte de exponer las legítimas diferencias que existan con otras personas o lidiar de forma propositiva con los contratiempos que suceden, sin duda, en cualquier plano de la vida. Hay personas con gran capacidad de queja pero con tan poca asertividad que terminan tirando por tierra toda la legítima razón que lleva su mensaje y malvendiendo el crédito que pudieran concederle las personas que les rodean. Ese es un gran problema que bloquea las situaciones enquistadas en incontables conflictos producidos en la relación entre personas y lo que es aún más importante, entre los propios polos que genera el debate interno que vive diariamente cualquier persona en el diálogo con su propio "yo".

8. No desistas en el intento... *El hábito de agradecer*

Este libro, sin querer ahondar en profundidades, tiene por misión animarte a emprender un camino de agradecimiento que sin duda —de ahí el título de este capítulo— necesitará de constancia... Mucha constancia. La constancia, de hecho, será el mejor bastón que te apoyará para andar certeramente por entre las sendas del intrincado acantilado de la vida, que tiene ocultas en sus escarpadas rocas encantos insospechados aunque muchas de las veces no seamos capaces de saborearlos.

Paso a paso, meta a meta. Asegúrate el éxito.

Muchas de las frustraciones que aparecen en la vida vienen dadas por la falta de éxito. O al menos a esa causa se les suele atribuir. Habría, pues, que definir exactamente qué entendemos por éxito. Solemos asociar la plenitud vital con un gran éxito o grandes éxitos en aspectos importantes de la vida; y en buena lid esto es así. No obstante, establecer una vinculación directa entre estos grandes éxitos y nuestra felicidad puede ser engañoso, y las más de las veces, frustrante. Los grandes éxitos nunca llegan realmente sin varios fracasos previos, pero estos no se ven, ya sea por ocultamiento deliberado del que exhibe un posterior éxito o por simple discreción.

Nuestra condición gregaria, pareciera que heredera del homo erectus que nos precedió, hace que imitemos a los *macho alfa* que exhiben los supuestos —no siempre reales— grandes éxitos. Nos comparamos y si no los conseguimos igual que ellos acude inexorable el desencanto con nosotros mismos, con los demás, con el mundo, la frustración, el fracaso —que este sí que es percibido como grande— y la infelicidad.

Es cierto. Está claro. Nadie en su sano juicio busca fracasos para ser feliz. Pero, sin embargo, esto no quita que tenga su sentido tratar de ser feliz, incluso en medio del fracaso. El matiz es importante, porque en este segundo supuesto nuestra esencia como seres humanos buscadores de éxitos sigue perfectamente vigente, la única diferencia es que se aplaza el éxito en la esperanza de que vendrá después, aunque pueda presentarse bajo otra forma. Es más, el primer éxito, una vez que es capaz de esperarse de este modo, es la propia tolerancia a la frustración que se genera, base y custodia de todo bien posterior. El éxito pues, si trabajamos la tolerancia a la frustración, al fracaso, está asegurado. Esta es sin duda una gran noticia. No obstante, no podemos vivir de frustración en frustración por mucho que la toleremos. Por suerte, además de encontrar en esta *bendita* tolerancia un primer éxito podemos encontrar otros más pequeños que nos aseguran refuerzos a corto plazo que sin duda vendrán a fijar nuestra constancia en la empresa. Si eres capaz de ponerte metas pequeñas te darás cuenta de que el éxito, ese éxito tan grandilocuente no es más que un *enemigo* con pies de barro al que puedes dominar con un poco de inteligencia y que puede cambiar de nombre si le das otro más asequible. Buscar el éxito sí o sí asegurará que camines hacia lo que valores con mayor fuerza. Eso sí: este ejercicio te exigirá ser capaz de llamar éxito a cosas que antes no gozaban de tal distinción o que pasaban desapercibidas, las cuales sin duda están alineadas con tus grandes metas vitales aun no siendo exactamente coincidentes. El campo del agradecimiento que nos ocupa en este ya de por sí *agradecido* libro tengo que decirte que no está exento de esta regla de progresión de meta pequeña en meta pequeña. No esperes que te sobrevenga un sucinto éxtasis a partir del cual agradecerás todo lo que pase en tu vida. Ojalá te pasara algo así, pero no es lo normal. Seguramente tendrás que empezar por hacer el pequeño ejercicio intencionado y buscado de agradecer diariamente algo. Hazlo por la noche o por la mañana. Por malo que haya sido tu día emplea un solo minuto para buscar lo mejor de él. Ahí estará el primer escalón en tu carrera hacia el agradecimiento; que seas capaz de hacerlo en el poco tiempo que te lleva un minuto puede ser un acicate para darte cuenta de que quizá vives con el foco puesto en lo negativo y dejas pasar las suculentas sutilezas de lo bueno. Este agradecimiento debe ser progresivo e independiente de la satisfacción. No deberíamos esperar que por el hecho de agradecer la felicidad llame inmediatamente a la puerta de nuestra consciencia. Simplemente agradece sin esperar nada, ya que será curiosamente así como experimentarás el don de la gratuidad que se esconde en tal actitud que es, a la postre, la piedra de toque de la alegría que brotará en el fondo de tu corazón.

Registrar los avances

Normalmente somos bastante aplicados en eso de llevar un contador de faltas. Especialmente si son ajenas. Nos gusta tanto ahondar hasta las profundidades más escondidas de los resquicios que quedan por entre los actos sospechosos de albergar dudas acerca de nuestros semejantes que no paramos hasta encontrar aquello que verdaderamente sea digno de crítica, más bien tirando a ácida, diría yo más: de saña. Qué exactos somos en contar lo que verdaderamente puede hacer "pupa". Nos encanta que la botella esté medio vacía. Nos fijamos normalmente más en los debes que en los haberes. Por defecto tendemos a hacer lo mismo a nivel personal. Es como rascarse la pupa. Da gusto al principio, pero termina dejándote la piel hecha jirones. Como vemos tan poco bueno a nuestro alrededor, terminamos por no apreciar lo verdaderamente valioso de nuestra propia persona. ¿No te parece a ti que las personas prepotentes son realmente las que más tienen afectado su propio autoconcepto? Probablemente tanto que necesitan reafirmarse con actitudes exteriores de superioridad frente a los demás. Pensemos en primera persona: piensa si aquello que tienes de prepotente no proviene de tu incapacidad de percibir lo bueno de los demás, y como consecuencia, de tu propia persona.

Lo que te propongo es que te salgas de ese esquema tan poco original. Basta ya. Ponte del lado de la esperanza. Ponte del lado positivo de la pila. Sí, ya está bien. Deja de hacer el cenizo. Nuestros días necesitan personas que carguen las energías de los demás, no que las mermen. Por un momento piensa que lo bueno puede ser mayor y mejor que lo malo. Detén la manía de recolectar los hechos negativos a partir de los cuales se desencadenan todo tipo de pensamientos negativos hacia los demás y hacia ti. Ya es hora de cambiar esta tendencia. Sé capaz de mirar con otros ojos. Anota las cosas buenas de los demás. Olvida las malas que hagan contigo. No cuesta tanto. Al final te vas a alegrar, si no es tan difícil. Comienza por anotar, incluso literalmente, en hoja y papel. Pon bajo luz y taquígrafos todo lo bueno que te pase. Crea tendencia en torno a eso y tuitéalo en tu pensamiento. Serás pronto *trending topic* en estabilidad emocional y te lo agradecerán los mejores seguidores que tienes en la red social de la vida: las personas que te rodean. Que no te paralice el miedo a ser demasiado positivo. Lo malo va a salir por sí mismo, eso está claro, pero no le hagas tanto caso. Potencia lo bueno hasta el máximo y saca provecho secuencialmente, cada vez más, porque este ejercicio te permitirá ir hilando; encontrarás unas cosas buenas vinculadas a otras, y poco a poco, como consecuencia no tendrás otro remedio que agradecer. Cuando efectivamente, agradezcas lo bueno, serás capaz incluso de ver algunas cosas aparentemente malas como oportunidades que te llevan a otro nivel en el que ya no exiges tanto y vives la vida como lo que es, un regalo. No pierdas ni un minuto.

El hecho de anotar es positivo tanto porque te dará argumentos objetivos por cuanto te provee de razones por las que dar gracias como porque te permite recordarlas después, cuando puedas atravesar momentos complicados. Anotar lo positivo y terminar adoptando una actitud vital que se queda con lo bueno no significa alelarse ni dejar de percibir lo malo. Al contrario, de tontos ni un pelo, pero por eso mismo, tratamos de hacer llevadero lo malo encontrando las razones preponderantes de lo bueno por las que merece la pena no dar más pábulo del merecido a lo que no lo es. Tampoco significa dar rienda suelta a una falta seguridad en uno mismo en virtud de la cual vestimos de bueno lo que no lo es o ponemos nombre de virtud a manifiestos defectos... No se trata de eso, pues si no revestimos de humildad este proceso terminaremos cayendo precisamente en el ejercicio contrario: llenarnos de la prepotencia que tratamos de evitar. Agradecer y ver el oro que hay en nuestro interior sí —primer paso para ver el de los demás—, pero no por nuestras capacidades o grandilocuencias personales, sino por la bondad de la vida que nos ha regalado tanto. Autoconcepto bueno sí, autoengaño y envanecimiento, no.

Si somos rigurosos en este proceso de apuntar o empezar a destacar los elementos positivos que nos rodean nos podría ser de gran ayuda desgranar las

características de los mismos. Por su naturaleza podríamos dividirlos en tres niveles o capas que nos
ayudarán a poblar nuestra lista: los de tipo sentimental, racional y práctico. Podríamos dividirlos de cualquier otra manera, pero he pensado fundamentalmente en la utilidad de estas categorías por su relación con
la gran aceptación social que goza la división entre
sentimiento, razón y practicidad. Te propongo, además, cruzar cada uno de estos niveles con tres ámbitos: el personal, el familiar y el laboral. Con esta división ya lo tenemos más fácil. Ya solo se trata de jugar
a combinar. Los argumentos para agradecer saldrán
de esa útil combinación. El esquema básico de agradecimiento que nos ayudaría a elaborar nuestra lista
de aspectos a agradecer quedaría por tanto configura-
da por una relación de nueve combinaciones posibles:
agradecer desde el sentimiento aspectos de nuestra
persona, de nuestra familia y de nuestro trabajo o estudios; a su vez, este proceso se podría repetir respec-
tivamente desde la razón y desde la practicidad.

Hablando de practicidad, observa que en los
próximos tres párrafos se desgranan brevemente cada
una de las posibles combinaciones que nos pueden
servir de muleta de apoyo para iniciar la sistematici-
dad en el ejercicio del agradecimiento.

Agradecer desde los sentimientos

Lo sentimental es básico en nuestra experiencia vital. Posiblemente debamos sondear hasta los sentimientos más profundos de nuestra persona para encontrar las verdaderas razones de nuestra conducta; ellos explican lo que hacemos, lo que hay debajo, lo que nos mueve. Lo que sentimos determina en bastantes ocasiones la inclinación de la balanza de la cual dependen nuestras decisiones. No tendría que ser así siempre; vivimos en un mundo dominado por la absolutización de lo sensual, causa –todo sea dicho– de multitud de engaños a todos los niveles, pero el hecho es que el sentimiento adopta en nuestros días un valor inusitado. Diríamos que lo que no "provoca" sentimiento no es mayoritariamente considerado válido. Lo que no me hace sentir nada no me "hace feliz". Esto tiene sus riesgos de los que habría que hablar largo y tendido en una sociedad "selfie" cuyo mayor riesgo es instalarse en el hedonismo e infantilización de las experiencias vitales. Pero como vamos a lo positivo, tomándolo por lo bueno, podemos decir que el sentimiento puede ponerse a jugar a nuestro favor. No podemos dejar pasar la oportunidad de asumirlo como una realidad inevitable –sin duda los sentimientos están siempre presentes en nuestro complejo mundo psicológico– que juega un papel esencial en el tema del agradecimiento que nos ocupa, y esto, haciendo uso de nuestra anteriormente presentada triada podría llevarnos a plantear varios ejercicios de agradecimiento. Poner delante de nosotros lo que nos hace sentir bien en los distintos ámbitos planteados: personal, familiar y laboral, nos puede hacer mucho bien. Explora en cada uno de esos campos y anota los momentos o situaciones que recuerdas de una forma agradable, que te hicieron (o hacen) sentir bien. ¿Por qué ocurre esto? ¿Cuándo te hizo sentir bien? ¿Qué hiciste? ¿Con quién lo compartiste? ¿Cómo vas a volver a experimentarlo? ¿Esos sentimientos agradables fueron verdaderos o tras de ellos vinieron situaciones no tan buenas? Y cuando todas estas preguntas u otras que te puedan surgir traigan a tu papel motivos para agradecer, no dejes de anotar. Valorar los sentimientos que nos hacen felices comienza por descubrir los pequeños detalles que a la postre, y aun sin haber sido conscientes de ello, nos provocan la felicidad. El primer nivel por tanto, sería el de los sentimientos, nivel que nos otorga estupendas señales útiles para orientar una respuesta agradecida y para extraer lo mejor de nosotros.

Agradecer desde la razón

¿Y qué decir de la importancia de la razón? Sin duda, aquí tenemos el perfecto complemento del sentimiento; la brújula que reorienta cuando aquel se desboca. No actuar en situaciones de sentimiento exaltado es producto de la sensata razón. ¿Por qué si no íbamos a decir que algo es razonable? Sin duda, gran apoyo ofrece la razón en la vida diaria. Pues, más allá de las cosas que sentimos en los recurrentes ámbitos que estoy utilizando en este capítulo, la razón nos aporta luz –bien apoyaría esto, por cierto, algún ilustrado dieciochista, que aunque no sea yo muy forofo de muchos de ellos, aquí tengo que rendirme ante la luminiscencia racional–. Luz para ver de la forma más objetiva posible las cosas. En este caso, la razón es tremendamente útil para ser personas más agradecidas cuando el propio sentimiento nos ciega y no nos deja ver lo bueno que hay alrededor. ¿Cuántas personas, por un sentimiento negativo hacia alguien de su familia, por no aguantar alguno de sus propios defectos o por no aguantar ni una pizca los de su vecino o compañeros de trabajo, entran en desesperación? ¿Cuántas de ellas comienzan a desgajar el sentido de su vida por experiencias continuadas de este tipo de frustración? A todas ellas el agradecimiento tiene una palabra muy inteligente que decir. Porque, de la misma manera, podrían destacarse, razonablemente, elementos positivos en cada uno de los ámbitos de la vida y de las personas que intervienen en cada uno de ellos, y no serían menos objetivos que los negativos. Se trata, pues, de una opción consciente y nada ingenua, más bien todo lo contrario, por destacar aquellas razones que nos llevan hacia lo positivo de todo y todos los que nos rodean. ¿Qué lista te saldría si te decidieras a hacer esto? ¿Pequeña? ¿Inexistente? Pues de eso nada, si te ocurre esto es porque no te has puesto a realizar un análisis objetivo. La razón nos dice que lo que nos rodea no puede tener solo cosas negativas o malas. Si queremos —eso sí que sería una decisión buena— podemos focalizar a la la inversa; nos daremos cuenta según analizamos con más exactitud que las cosas buenas están, aunque no las veíamos cuando no focalizábamos. De ahí la importancia de pararse y hacer esta opción totalmente objetiva y... ¡racional! Eso sí, lo más importante de todo... no te olvides, una vez tengas las razones objetivas y observables de agradecer esa propia existencia.

Agradecer desde lo práctico

Hasta aquí ha quedado claro que sentimiento y razón proporcionan motivos perfectos para iniciarse en el arte del agradecimiento. Podríamos encontrarlos también dentro de otras posibles divisiones, más allá de sentimiento y razón, pero vamos a acotar en triada con un elemento más. Las sillas o mesas de tres patas no cojean, y por las mismas, más aún, por motivos pedagógicos, podemos extraer que los sistemas argumentales de tres elementos son fáciles de recordar y comprender. Sin ir más lejos, y por poner un ejemplo, podemos encontrar en el origen de muchos argumentarios —ya sean científicos o puramente humanistas— la triada clásica de Hegel en virtud de la cual cualquier teoría poseería tres elementos básicos que permiten su propia explicación: tesis, que sirve para exponer lo que el investigador propone o estudia y los argumentos iniciales que plantea; antítesis, que presupone el contrario a lo expuesto en la tesis y síntesis, que agrupa las principales conclusiones que marcan las verdades fundamentales encontradas tras el análisis de los dos anteriores. En consonancia, pues, con lo dicho, y dado que este libro pretende ser lo más pedagógico posible, entiendo útil para un mayor compromiso con el agradecimiento, animarte en su búsqueda y compromiso a través de un diseño estratégico basado en la triada formada por afectos, razón y práctica. De los dos primeros ya te he dado cuenta en los puntos anteriores, espero que esa "dosis" te haya sido provechosa.

Es hora, pues, de hablar del tercer elemento, el de la práctica. No diría que este sea más importante —puesto que los anteriores son básicos para que este último pueda ser efectivo—; pero sin duda tampoco lo es menos. Más allá de lo que ocurre en nuestra psique, sentido desde nuestros afectos y explicado a partir de nuestras razones, en la práctica nos jugamos el todo por el todo. Cuando ponemos la conducta en juego, mostramos mejor que de ningún otro modo no solo lo observable, sino también dejamos ver qué nos mueve por dentro. Obras son amores y no buenas razones, apunta el dicho. Es decir, nuestra conducta es la materia de rastreo que cualquier detective podría utilizar como prueba para saber qué sentimos y cómo razonamos, para estimar qué valoramos, qué perseguimos realmente en la vida y qué buscamos con nuestro comportamiento. La verdad que esconde nuestro ser más íntimo encuentra un correlato en la conducta. Los demás no valoran quiénes somos por lo que sintamos o pensemos, sino por nuestras acciones. Lo queramos o no, las conductas siempre están presentes en nuestra vida; son la carcasa externa que nos comunica con el mundo. No hay otro modo de establecer relación con el mundo que a través de nuestras conductas, por más que estas sean, incluso, únicamente verbales. Es interesantísimo el trabajo que están realizando en este sentido, para entender mejor nuestro comportamiento, el comportamiento humano, los neoconductistas que han mejorado y matizado al bueno de Skinner, padre de la psicología conductista, muchas veces mal entendida, y que no deja de aportar aspectos interesantísimos al campo de la psicología, ya en un diálogo mucho más fluido, todo sea dicho, con otras corrientes, especialmente con la cognitiva.

Bien. Pues si esto es así, ¿en qué medida hemos de tener en cuenta la conducta en cada uno de nuestros ámbitos: personal, familiar y laboral para buscar más y mejor agradecimiento? Apliquemos el mismo procedimiento que el utilizado en los elementos comentados en los puntos anteriores. Crucemos la conducta con cada uno de ellos y formulemos preguntas estratégicas en cada asociación: ¿qué conductas, qué hechos prácticos objetivables tienes que agradecer hoy?

Evalúa los avances

Acabo de mencionarte las bondades del ejercicio objetivador a través del cual registrar hechos observables que puedas llevar a la cesta de los "haberes" que agradecer, para contrarrestar los "debes" que engrosarían una cesta lastrante. Pero como seres humanos no tendemos exactamente hacia lo que es digno de agradecer de forma espontánea, al menos, no en todas las ocasiones, por lo que este ejercicio objetivable y pretendidamente fiel a la realidad —los hechos que se agradezcan deben ser reales al cien por cien— necesita de una constante evaluación —curiosamente— parcial. Sí, digo bien, parcial. Son paradojas en esto del agradecimiento: para ser personas agradecidas, toda vez que rescatamos hechos objetivos que agradecer, hemos de evaluar a la luz de un proceso voluntariamente subjetivo. La objetividad es fantástica consejera de los hechos que agradecer, pero la evaluación de los mismos ha de ser contener necesariamente una subjetiva deriva hacia el encuentro de los elementos positivos que aparezcan en el proceso. Esto se ve claro en el mundo educativo. En educación, cuando tratamos de definir el objetivo principal del docente, no va descaminado el tiro que aboga por situarlo en sacar aquello de bueno que tiene la persona. Ardua e importante labor esta. Fíjate que en este proceso hay una objetivación, optimista, pero fácil de suponer en la mayoría de personas, por no decir en todas: el educando tiene "cosas buenas"; pero también hay una subjetivación: yo, educador, conscientemente, trato de sacar, de entre todas las posibles, las cosas buenas. Somos particularmente subjetivos cuando tratamos de sacar lo mejor de los que nos rodean y de nosotros mismos. Sin embargo, sabemos objetivamente que el encuentro de todo ser humano con sus propias bondades es el motor de cualquier cambio a mejor.

La propuesta que te lanzo, por tanto, es que evalúes tus avances una vez que hayas hecho registro de las cosas positivas y que, aun sabiendo que lo que tienes no es todo positivo —menos mal, si no serías una máquina demasiado "perfecta"— te centres en los pequeños o grandes avances que vayas encontrando. Si hace dos semanas no eras capaz de agradecer nada en tu vida y de repente, te das cuenta que al levantarte das gracias porque eres capaz de poner un pie en el suelo, o que tus ojos ven, o que tus oídos oyen, o que puedes andar, o que, si no puedes cualquiera de estas cosas sí que puedes realizar otras... entonces vas por el buen camino. Registrar hechos a agradecer y, subjetivamente, optar por dar relevancia a los avances encontrados dará color y sabor a tu vida. Es de recomendación máxima aprovechar para este ejercicio de evaluación de avances un momento especialmente buscado para ello, que para facilitar al máximo puede ser al principio o al final del día. Se trata solo de pensar durante cinco minutos y traer a la mente todo lo bueno por lo que hemos de estar agradecidos, al tiempo que nos damos cuenta que van apareciendo cada vez más cosas si nos entrenamos en la noble práctica del agradecimiento. Realmente en este ejercicio confluyen otras prácticas que ya te recomendé en otros capítulos anteriores, pero valga la confluencia para incidir sobre lo importante: ten especialmente presente todo lo que tienes que agradecer cuando te levantes o cuando te vayas a acostar. Te estás jugando ni más ni menos que tu verdadero bienestar. Yo lo haría. Bueno, de hecho, trato de hacerlo y te aseguro que la calidad de vida, sin necesidad de aumentar tu sueldo o ni siquiera tus horas de sueño, aumenta.

PARTE 3:
EFECTOS DEL
AGRADECIMIENTO

9. Agradece que algo queda: efectos psicológicos del agradecimiento

El poder transformador del agradecimiento

Una vez que tenemos "datos" encima la mesa es hora de sopesar qué se gana y qué se pierde con el hábito de agradecer. Es inherente al ser humano moverse por entre una continua evaluación de beneficios y costes. Y dirás… ¿Qué tipo de evaluación es esa? ¿Beneficios de qué, en qué…? ¿Costes de qué, en qué…? Pues yo te diría: realizamos evaluaciones de beneficios y costes en todo. Incluso el ser más desprendido evalúa cuáles son los beneficios y costes de su conducta; esta persona verá como mejor manera de vivir la de ser desprendida, generosa, pero ya ha realizado una evaluación en virtud de la cual algo compensa sobre otro algo. Nos guste o no, decidimos a cada paso. No se puede huir de la decisión. Cualquier camino que tomemos en la vida está precedido de una decisión; incluso si esta no ha sido tomada desde un calmado reposo con el tiempo suficiente como para reflexionar e incluso si pensamos que no decidimos nada; da igual. Que realices decisiones no depende de que seas consciente o no de ellas. Nuestra realidad demanda continuamente la toma de decisiones, más o menos importantes, nos gusten o no, para bien o para mal. Y aquí retomamos el asunto del sopeso de costes y beneficios: hasta las disyuntivas más nimias de la vida deben ser resueltas tomando como base alguna decisión que implica la valoración de beneficios y costes, del mismo modo que todo lo que hacemos, ora en las cosas grandes, ora en las pequeñas de nuestra vida, son el resultado de procesos de evaluación en los que suele triunfar la opción que menos costes implica para el sujeto, o que, suponiendo mayores costes y esfuerzo, es compensado por el beneficio obtenido, ya sea a corto o a largo plazo. ¿Quiere eso decir que el ser humano es también ser interesado? Podría verse así. Pero, ¿acaso no constituyen incluso valores tan altruistas como el de la solidaridad una opción tan apreciada por aquellos que la practican, hasta el punto de suponerles una apuesta personal que relega a otras que no consideran tan importantes? Este proceso no es más que la valoración de un beneficio por el cual se opta, bajo la presunción de su supremacía sobre un coste.

Creo que te ha quedado claro que siempre habrá evaluaciones de costos y beneficios y que nos movemos en esta vida nuestra pesando y midiendo lo que mejor conviene; ya digo, lo hacen hasta las almas más "puras" porque es una condición inherente al ser humano, que siempre buscó aquello que era más eficiente para su supervivencia. Este hecho es muy relevante para el caso que nos ocupa del vivir agradecidos. Lo bueno de buscar todo aquello que hay que agradecer y ejercitarse continuamente en este proceso es que al final, de tanto ir el cántaro a la fuente, se terminan encontrando verdaderas razones por las que agradecer, cosas en las que quizá ni se había caído antes, y lo que es mejor, que este proceso en sí mismo, transforma poderosamente la propia vida a mejor.

Dice la frase popular que *no es más feliz el que más tiene sino el que menos necesita*. En realidad, esta sabiduría popular me da la razón —perdóname la inmodestia de tomar como favorable a mi postulado un clásico de nuestro castellano acervo popular—; te lo explico: aquella mente privilegiada —seguramente humilde, no obstante— que acuñara por primera vez esta frase hecha sabía perfectamente que el quid de la cuestión no está en tener sino en valorar. Cambio de verbo que puede suponer cambio de vida. Los insatisfechos que nunca tienen suficiente son insoportables porque no agradecen nada. Pueden conseguir metas en la vida, pero el límite en el infinito en el que ponen el umbral de su felicidad les destroza a ellos y a las relaciones constituidas a su alrededor; sin embargo, los que agradecen continuamente todo, y a todos, terminan, por el propio poder transformador de este proceso, aproximándose a algo muy parecido a lo que podríamos llamar felicidad, y en lo que respecta a las relaciones con los congéneres que le rodean, se hacen "de querer".

Podríamos enunciar tantas motivaciones como seres humanos hay en el mundo. Cada cual poseería una motivación última que mueve su ser en la vida, su actuar en busca de la ejecución de funciones que dan sentido a su existir. Pero uno solo sería el resultado de evaluar positivamente, desde la valoración agradecida: la vida se transforma a mejor. Siguiendo con el apoyo en la sabiduría popular española, podríamos completar la frase hecha diciendo que si *en el pecado está la penitencia*, en el agradecer está la gloria. La vida es finalmente justa y premia a los que la saben agradecer.

¿Vas a ser tan tonto o tonta de no dedicarte a agradecer sana y humildemente desde ya lo que tienes, lo que eres y perderte todo el poder transformador que posee este proceso? Evalúa beneficios y costes…

Los procesos psicológicos de motivación, elaboración, personalización y metacognición como brújula

El agradecimiento es un resorte que activa multitud de herramientas psicológicas albergadas por nuestro cerebro, en muchas ocasiones, infrautilizadas. Es hora de ponerlas en funcionamiento, pues. Por si fuera cierto aquel dicho de "difama, que algo queda", te propongo darle la vuelta buscándole el lado positivo y realizar un "pequeño" gran cambio sustituyendo "difama" por "agradece". A mí me gusta más la frase así: *agradece que algo queda; ¿y a ti?*

Hablar de los efectos psicológicos de cualquier cosa no es asunto baladí. Y no lo es por dos razones, cada una de ellas relacionada con una de las dos palabras clave que entran en juego en el encabezado de este capítulo: la primera, por la dificultad de medir los posibles "efectos" de asuntos que escapan a lo tangible; y la segunda, por la amplitud casi insondable de horizontes diferentes que abarca el término "psicológico". Es decir, nos movemos en un terreno de arenas movedizas, de dificultades ante las que no caben respuestas simples —en el peor de los sentidos de la palabra—. Un análisis e investigación meticulosos de los efectos psicológicos que la conducta del agradecimiento desencadena sobre el ser humano exigiría todo un tratado que excede los límites y objetivos del presente libro y ni por decir del presente capítulo, sin menoscabo de que pueda ser un buen tema que anoto para próximos ensayos en los que ahonde más en la idea. Pero de momento, para ir abriendo boca, tan solo me gustaría aprovechar este espacio para presentarte someramente algunos de esos efectos. Intuiciones, una vez más, que pongo a la luz de algunos conceptos básicos de psicología elemental que servirán para explicar de un modo lo más didáctico posible que estamos ante una conducta importante, la agradecida, que posee repercusiones directas sobre la vida del día a día. Para realizar esa explicación, vamos a llamar, exprés, me valdré del paradigma de la psicología del aprendizaje que llevo estudiando más de una década. Cuando trato este tema en clase con los alumnos que se preparan para ser maestros me gusta utilizar un método deductivo por el cual ellos mismos van rescatando la lógica que hay debajo de cualquier taxonomía del aprendizaje humano sin que yo tenga que dársela ya servida, pero resumiendo mucho y dado que ahora no puedo utilizar esa metodología contigo, fíate de mí si te digo que el proceso de aprendizaje humano consta de cuatro grandes fases secuenciales —esto es, que se producen en un orden determinado—, interdependientes —esto es, que aun presentándose en orden, unas dependen de otras e intervienen e influyen sobre las demás de forma indistinta, entremezclada y continua— y cíclicas —esto es, que al término de la última fase de un aprendizaje volvemos al punto inicial de otro nuevo o del mismo, pero en un estadio superior de desarrollo y complejidad, lo que llamamos en el mundo psicopedagógico decalage—. Importante es señalar, además, que cada una de estas fases activa de forma preferente, que no exclusiva, un tipo de inteligencia. Este planteamiento nos pone delante de un paisaje psicológico suficientemente rico como para hacer nuestro análisis, pese a su carácter exprés. Nos enfrenta, igualmente, al reto de plantear conceptos complejos tales como el de "inteligencia" o "fase del aprendizaje", que son de enorme importancia para entender cómo el agradecimiento puede afectar a la psique. Hecha, pues, esta disquisición previa, y teniendo en cuenta que la vida en sí es un continuo proceso de aprendizaje, te presento a continuación estas fases (motivación, elaboración, personalización y metacognición) que son las mismas que sigue tu aprendizaje vital, y cómo el agradecimiento puede actuar sobre cada una de ellas, repercutiendo de forma trascendentalmente positiva en tu cotidianidad.

Repercusiones sobre los procesos psicológicos de motivación

Aquí comienza todo. Para emprender cualquier proyecto en nuestra vida, por nimio que este sea, necesitamos motivación. Un estímulo que nos impulse a actuar en la dirección deseada. Sin una motivación nuestra vida, sencillamente, carece de sentido. Es recurrente en el mundo de la educación hablar de cómo los profesores debemos motivar adecuadamente a nuestros alumnos y cómo estos poseen o no esa motivación según sean sus propias características y circunstancias y las de sus profesores. Sé por un momento espectador de las motivaciones que han movido los principales proyectos de tu vida. Pon delante de ti ese plan que te ilusionó o ese problema que se planteó, que supiste resolver adecuadamente y cuya ejecución salió a pedir de boca... Observa cómo en todas esas situaciones las cosas comenzaron a irte bien porque tenías una motivación clara de fondo. ¿Lo has visualizado claramente? Ahora, plantéate la siguiente pregunta: ¿dónde está el origen de cada motivación? Llegarás a una conclusión parecida a la que yo te sugiero: todo parte de una ilusión provocada por los efectos o consecuencias positivas que iba a tener una conducta determinada, y por tanto, la ejecutaste. Pues bien, está comprobado: si eres agradecido estás en un punto de privilegio para aumentar el número de estas situaciones exitosas —exitosas por llevarte a la consecución de tus objetivos vitales más importantes—. Las personas que viven agradecidas con la vida, que por así decirlo, no le reprochan nada, y más al contrario, le agradecen, son personas que se motivan fácilmente y que, además, se mantienen constantes en la lucha por sus metas, alcanzando así la perseverancia que estas, sin duda ni excepción, precisan. Volviendo al ejemplo de los alumnos: hay alumnos muy difíciles de motivar, diríamos que casi "inmotivables", solo aptos para profesores con un arte especial para sacar lo que tienen de bueno. Pero hay otros que no necesitan tanto. Hay alumnos capaces de motivarse hasta con el profesor más pésimo. Tú puedes ser como estos últimos, pues el profesor —cómo te vengan las circunstancias de la vida— te puede salir genial o te puede salir rana. Pero el que no fallaría, en ese caso, serías tú. El control estaría así de tu lado. Vivir en el agradecimiento te pondrá en una situación ventajosa de entrada. Tus proyectos vitales tendrán muchos más visos de cumplirse como pretendes, pues el agradecimiento disminuirá tu nivel de exigencia para con la vida, tus sistemas de alarma psicológica se activarán solo cuando sea estrictamente necesario, bajará tu nivel de estrés y emplearás muchas más energías en la ejecución práctica de las conductas que te dirigen hacia lo que valoras. Compruébalo: las personas agradecidas suelen cumplir sus sueños. ¿Por qué? Porque al dirigir su mirada hacia lo bueno concentran su energía mental y siempre encuentran motivación suficiente para comenzar a trabajar duro por ellos. Las conexiones neuronales que se producen en las personas agradecidas convierten su cerebro en privilegiado por ágil y flexible; por otro lado, les convierten en personas que encuentran fácilmente motivos para agradecer siempre e inteligentes emocionales —la inteligencia emocional es la que se activa fundamentalmente en este proceso bien enfocado—.

Repercusiones sobre los procesos psicológicos de elaboración

Sigamos ahondando en las repercusiones psicológicas. El proceso de elaboración de nuestro recorrido en el aprendizaje vital hace especial referencia a los procesos cognitivos encargados de recibir, seleccionar, analizar y tratar la información que recoge de distintas formas nuestro cerebro. Cómo se procesa toda esa información hasta que se convierte en parte de nuestro aprendizaje desborda, una vez más, las pretensiones de este libro. Pero más allá de estos análisis pormenorizados, lo que me trae aquí es contarte cómo repercute el agradecimiento en estos procesos. ¿Es posible que una persona que vive bajo los parámetros del agradecimiento sea cognitivamente más capaz que otra que no lo haga? ¿Recibe, selecciona, analiza y trata la información mejor?

Mi personal respuesta es que sí. Más allá de la lógica y la firme intuición que me hace suponer que la persona que agradece tiene más ventajas a todos los niveles, incluida la del aumento de la capacidad cognitiva, me apoyo, fundamentalmente en las razones que a nivel psicobiológico nos da el hipotálamo. Esta glándula hormonal, del tamaño de un guisante que se encuentra en el centro del cerebro controla todas las demás glándulas y funciones del organismo; entre otras: la recepción de información sensorial —tanto la externa como la proveniente del propio cuerpo—, el reparto energético, los ciclos del sueño, la presión sanguínea, el movimiento muscular, el sistema inmunitario, la regulación sexual y nutricional, por citar solo algunas de las más importantes. Pues bien, los neurólogos aceptan sin excepción que el funcionamiento de esta glándula tan importante guarda relación directa con los acontecimientos emocionales que ocurren a la persona. Las emociones que afectan a todo el organismo son interpretadas y reguladas por el hipotálamo según su correspondencia química. Lo hace al recoger la información que proviene concretamente del sistema límbico. Interpreta la información que le llega y envía instrucciones precisas al resto del organismo de dos formas: a través del Sistema Nervioso Autónomo (médula espinal) y mediante la pituitaria (Sistema Endocrino). En ambos casos realiza una suerte de cálculo automático en función del cual ajusta nuestro organismo a las demandas físicas y emocionales externas e internas que se le plantean, segregando a continuación nuevas sustancias químicas que se vinculan de nuevo con determinadas emociones, bien agradables o desagradables. He aquí la pregunta: ¿el hipotálamo de la persona agradecida recibe en primer lugar y segrega, en segundo, sustancias químicas que dan lugar a un mejor funcionamiento general, entre el que se encuentra el cognitivo, que el de la persona que no lo es? No solo la lógica, sino también la neurología nos dice que sí. Por eso, cabe esperar un rendimiento psicológico e intelectual más fluido en este tipo de personas. Esto tiene repercusiones importantes. La de ser agradecidos no se trata ya solo de una idea quimérica o simplemente bonita. Nos marca el horizonte. Se trata de una búsqueda necesaria para la salud psicológica y física, ambas encontradas en una simple glándula.

Repercusiones sobre los procesos psicológicos de personalización

Los procesos psicológicos no son fáciles de definir ni delimitar. Pero parece claro, sean cuales sean las fronteras entre las que se encuentra, que existe una etapa en nuestros procesos de aprendizaje psicológico vital en la que, resumiendo y simplificando mucho, se pasa de la teoría a la acción. En definitiva, el pensamiento deja paso a la acción. Toda casa, para ser construida, necesita unos planos bien pensados, todo debe estar bien atado antes de edificar nada. Edificar es el objetivo, pero pasa antes por un proceso de elaboración del pensamiento. Bien es cierto que luego, durante la construcción, pueden surgir multitud de imprevistos que pueden conducir incluso hasta el replanteamiento y modificación de lo programado.

Aplicando la metáfora, podemos considerar nuestras conductas como la consecuencia de procesos mentales previos. Estas conductas pueden refrendar, o no, los aprendizajes anteriores. Igualmente, permiten la evaluación del nivel de consecución de los fines para las que se ejecutaron y en función de ello, o bien modifican o bien ratifican las estructuras de pensamiento en que se basaban. Es así como se abren las puertas a nuevos aprendizajes y se determinan cómo serán las nuevas conductas que tratarán de cumplir las distintas funciones que establecerá la persona para cada una de ellas. Nos guste o no, esto ocurre en nuestro cerebro. No hay acción o conducta, por nimia que sea, independiente de este proceso básico, ya sea consciente o inconsciente.

Perdón por la pequeña parada en la estación de la psicología de la conducta a que te he llevado... Pero es que tenía que hacerlo aunque solo fuera por un momento para que entiendas mejor y de un modo más fundamentado lo que te quiero contar en este punto: que el agradecimiento juega un papel importantísimo sobre la fase del aprendizaje en que se ejecutan las conductas más creativas y genuinas: la personalización.

El agradecimiento no es siempre producto de un proceso automático, una consecuencia que surge como respuesta originariamente natural. En muchas ocasiones hay que traerlo a escena voluntariamente, si bien, hacerlo una y otra vez puede dar lugar a un proceso más o menos mecánico cuando se convierte en hábito. Es decir, hay que dar un primer paso en el que la posibilidad de optar tiene algo que decir: ser o no ser agradecido. Esta opción te llevará a actuar o no con dulzura. Te digo por qué: las personas dulces ejecutan conductas agradecidas. ¿No notas la diferencia entre el trato con una persona, vamos a decir, incómoda, de otra con la que da gusto estar, que te da luz? Con probabilidad de casi el cien por cien me atrevo a afirmar que las razones de tal diferencia se encuentran en el modo en que ambas personas agradecen la vida. Mientras que unas hacen dulce lo amargo porque todo les viene bien y lo agradecen (hasta las cosas duras o que les caen torcidas), otras, se amargan, a ellas mismas y a las demás, porque nada les viene exactamente como ellas creen que les debe venir. El agradecimiento se retroalimenta; su ausencia, también. La diferencia clave está en que el agradecimiento puede transformar lo malo en bueno, pero las conductas que reflejan su ausencia no; convierten lo malo en otra cosa todavía más mala. Ello también se puede aplicar a conductas individuales, de tal modo que pudiéramos decir que la persona que agradece no solo hace más felices a los demás, sino que también se convierte en una persona más feliz y al contrario, las personas *pejigueras*, permíteme la expresión, lo son cada vez más y ejecutan conductas que reflejan su propio malestar personal cada vez con más intensidad.

¿Qué clase de persona quieres ser? Ya sé que la vida no es fácil. Ya sé que no todo es como te gustaría.

Pero, vamos al meollo: ¿quieres tener cara de vinagre? Pues comienza a agradecer todo lo que te ocurre, según te cuento en este punto, también en el plano de las acciones, *a la de ya*. Te juegas mucho, porque todas tus conductas son reflejo de los procesos de pensamiento que pones en marcha —considerables en sí mismos también conductas en cuanto acciones verbales—. Ser feliz es cuestión de optar por el agradecimiento. No da igual agradecer que no agradecer. Te guste o no, siempre hay consecuencias que desembocan en conductas observables que te afectan a ti y a los que te rodean. No se trata de forzar una sonrisa externamente para no tener la cara de vinagre de la que te hablo. Hacer eso sería falso, con un cierto toque de excentricidad, mientras que el nivel de agradecimiento al que te invito conlleva sobriedad, seriedad y discreción. Se trata más bien de una sonrisa interior, a veces, o muchas veces, observable, pero que va más allá de este aspecto externo. Refleja la felicidad a que te lleva el agradecimiento. Si no te ves con fuerzas suficientes para hacerlo de forma individual, pide ayuda. Ve a esa persona dulce que ejecuta sus conductas sobre la base del agradecimiento. Escógela bien, eso sí. No puede ser cualquier persona. Pero si verdaderamente vive como te digo, sabrá animarte y podrá darte consejos útiles para enfilar cuanto antes el camino del agradecimiento que hará tus conductas más dulces y que, por ende, harán tu vida también más dulce. Si ya tomas el agradecimiento como punto de apoyo de tu conducta exterior e interior, no dejes de aprender de las personas que también exploran esos caminos. No te quepa duda: siempre encontrarás oro en esas minas, un oro que seguirá llenando de esplendor tu camino vital.

Repercusiones sobre los procesos psicológicos de metacognición

La metacognición juega un papel clave en el desarrollo del aprendizaje humano, proceso que nunca terminamos —afortunadamente— de completar en toda la vida. Como tal, definida de una forma muy sucinta, podemos entenderla como la capacidad de poner en marcha conductas (normalmente verbales, aunque también pueden ser de ejecución, directamente observables) que revisen los pilares de aprendizajes recién asimilados considerados anteriormente como válidos así como los productos obtenidos bajo las premisas por ellos establecidas, de tal forma que se vuelvan a testear tanto para ratificar su consistencia como para suscitar nuevas hipótesis ante nuevos problemas planteados. En román paladino, la metacognición es lo que permite que podamos revisar lo que vamos aprendiendo en la vida, proceso por el cual nos hacemos conscientes del camino que vamos trazando en el devenir de la misma. ¿Utilidades? ¡Muchas! ¿Y qué tiene que decir el agradecimiento en un proceso psicológico tan importante para el ser humano como este? ¡Pues también mucho! Veamos.

El agradecimiento es a la metacognición lo que el mensaje de un buen entrenador de fútbol a su mejor jugador. El agradecimiento tiene el poder de dirigir los pensamientos protagonistas del proceso metacognitivo. El agradecimiento es lo que colorea de esperanza a esos pensamientos, color que necesitan para ejercer una influencia positiva sobre la valoración de lo que se aprendió. Como el ser humano no puede ser —por más que lo quiera— totalmente neutral y objetivo, ni siquiera consigo mismo, puestos a elegir, ¿por qué no dar color a lo que pensamos de nosotros mismos, cuando observamos lo que somos, lo que fuimos, lo que —siguiendo el hilo conductor establecido en este capítulo— aprendimos? Sin duda vamos a tener pensamientos negativos que nos tienten a considerar bajo un cristal gris el pasado; pero una cosa es tenerlos —lo cual es completamente normal— y otra hacerles caso. Hay personas que son enormemente negativas simplemente porque realizan procesos metacognitivos tremendamente duros e injustificadamente negativos consigo mismos. A veces, bajo la pretensión de "no engañarnos" realizamos valoraciones negativas sobre alguna de las fases por las que han pasado nuestros aprendizajes que no son ni mucho menos más realistas que si tuvieran un cariz positivo y esperanzador. Darle pábulo a este tipo de pensamientos puede repercutir, de facto, en una vida sin sentido, porque sin agradecimiento, la experiencia no lleva al planteamiento de nuevos posibles caminos, sino que más bien los bloquea.

Si bien la metacognición implica la revisión de los procesos psicológicos vividos que asientan nuestros aprendizajes —lo hacemos siempre, todos los días consciente o inconscientemente—, el agradecimiento es el elemento que les aporta pleno sentido, incluso aunque hayan sido construidos sobre experiencias dolorosas. Vemos cómo el agradecimiento, una vez más, funciona como activador de la orientación de la persona hacia el bien, hacia nuestros retos, hacia el destino último de toda conducta humana sana y origen de la verdadera felicidad.

10. El agradecimiento prepara para vivir. *Retos y efectos sobre una sociedad que necesita más personas agradecidas*

Mundo conectado vs mundo fragmentado y no agradecido

Los retos que plantean nuestras sociedades del presente y del futuro no son pequeños. Vivimos en tiempos en los que existen grandes contrastes entre las increíbles oportunidades que se abren ante nuestros ojos y las dificultades a que tendremos que hacer frente en las nuevas circunstancias de un mundo tan volátil y cambiante como el que habitamos.

Las circunstancias históricas en que nos desenvolvemos nos abren como nunca antes habíamos soñado a posibilidades de conexión entre personas a nivel mundial sin precedentes que suponen un hito de gran calibre cuyas consecuencias aún ni siquiera podemos barruntar; sin embargo, esta situación tan novedosa nos aboca, al mismo tiempo, a responder ante situaciones nuevas que plantean amenazas serias sin precedente. Navegamos en la tensión continua que supone tratar de sobrevivir en un mundo interconectado lleno de posibilidades que se halla, de forma simultánea, fragmentado. Mientras los avances tecnológicos y los múltiples progresos en las ciencias y las humanidades nos abren a infinitas posibilidades que permiten hacer el bien y solucionar problemas de gran envergadura, las crisis poblacionales y los conflictos entre naciones y territorios arrecian con fuerza, como si las guerras mundiales vividas en la pasada centuria –por mencionar las más escandalosas– no tuvieran algo muy serio que enseñarnos.

Algunos de los mejores investigadores del planeta andan metidos en el desarrollo de la robótica afectiva tratando de desarrollar máquinas que puedan reproducir comportamientos cada vez más parecidos a los humanos —basados en las emociones y el autoaprendizaje ("machine learning")—, mientras que al tiempo seguimos *erre que erre* con la ancestral pulsión que pareciera llevarnos a derribar por la fuerza —no solo física, sino también de argumentos o ideas— a nuestros vecinos de convivencia, aunque ahora el riesgo sea, más que nunca a escala mundial, sin desdeñar los problemas internos de las naciones y el resurgimiento de los sentimientos nacionalistas y xenófobos que pretenden crear identidad en medio de un mundo cada vez más plural.

La responsabilidad, por tanto, de manejar bien esta tensión existente en nuestro mundo es enorme. Curiosamente, en un mundo de diversidad creciente la creación de identidades se hace cada vez más necesaria. El mejor antídoto para evitar los radicalismos exclusivos de los grupos sociales del presente y del futuro que están detrás de la mayoría de las guerras y conflictos mundiales será dotar, precisamente, de una fuerte identidad a las personas del hoy y del mañana: identidad basada en el agradecimiento, capaz de valorar el pasado para proyectar lo mejor de él hacia el futuro. Por eso la educación en el agradecimiento y el fomento de la experiencia humana agradecida tienen tanto que decir. En las páginas anteriores hemos compartido que el agradecimiento tiene consecuencias positivas, dignas de tenerse en cuenta en una vida plena que se quiera vivir con sentido. Por tanto, si aceptamos que el agradecimiento provoca consecuencias positivas en una persona individual, es de esperar que también lo haga en comunidad y que suponga, en sí mismo, un elemento de dinamización social que debería brillar con luz propia, digno —como poco— de mayor atención. ¿Cómo mejoraría tu realidad si las personas con las que tratas más a menudo fueran personas "tocadas" por la actitud vital del agradecimiento? ¿Cuántas cosas cambiarían en tu entorno de trabajo, de amistad, de estudio, de lo que sea? ¿El hecho de ver que otras personas actúan con agradecimiento te animaría a ti a seguir su ejemplo? ¿Qué repercusiones tendría una conducta agradecida y contagiada así en tu contexto cercano? ¿Y qué tal si este esquema se reproduce también en el lejano?

El agradecido en la sociedad de la razón

En este epígrafe hablo de sociedad de la razón, pero no porque en nuestra sociedad se emplee mucho la razón, lo cual sería objeto de análisis y debate en futuros ensayos; hablo en este caso de la sociedad del "yo llevo razón", que es distinto. Las personas agradecidas tienen un papel clave en el contexto de polarización y etiquetado que vivimos actualmente. Me atrevo a decir lo anterior tomando como cierta la siguiente intuición: las personas agradecidas son más flexibles psicológicamente que las que se atascan en las frustraciones. Ando indagando aún en los fundamentos empíricos que pueden soportar tal afirmación, pero todo apunta, desde la experiencia vivida que tú y yo podemos compartir, que esto es así. Una persona permanentemente insatisfecha, que nunca tiene lo suficiente como para agradecer no va a colmar su ansia de razón fácilmente. Probablemente será la última en empatizar, en comprender, en ceder. Por contra, la flexibilidad psicológica, consecuencia lógica del agradecido que ensancha el marco de su aceptación ante la frustración, no fue nunca un problema para las personas que tienen verdadero interés por superar las diferencias con sus hermanos, y yendo más allá, las dificultades en la vida. Más bien todo lo contrario: aquellos que se encuentran entre los elegidos capaces de hacerles frente están, casi siempre, personas que supieron agradecer las cosas más sencillas de la vida, y por descontado, aquellas aparentemente más importantes. ¡Bendito sea el agradecimiento que nos lleva a ser personas capaces de afrontar el grave reto de la superación del permanente enfrentamiento en las sociedades polarizadas!

El agradecido en la sociedad del selfie

No estoy completamente seguro de que los nuestros sean los tiempos del llamado "postureo". Esta palabra tiene una connotación negativa que me impide utilizarla con total impunidad sin miedo a generalizar injustamente. Sin embargo, no cabe duda de que vivimos en la sociedad de la imagen. Esto es común a distintos contextos geográficos, sociales, económicos y culturales. Una sociedad que está formada en un gran porcentaje por individuos e instituciones que no solo deben cuidar lo que son, sino lo que parecen. Nos guste o no, no basta con ser lo que somos, sino que también, en este sentido, hay que parecerlo. Todos, también nos guste o no, tenemos una imagen social construida por los demás. Siempre fue así, pero en la época de las redes sociales este fenómeno del "parecer" y vincular "mi yo real" a "mi yo social" se ha visto incrementado exponencialmente. Quizá lo podamos observar de un modo más frecuente en la gente joven, pero sin duda, cada vez más, son adultos tuiteros o *facebookeros* los que tiran de "selfie" para decir lo que hacen, mostrar lo que dicen y en definitiva, representar coherencia hacia la imagen de sí mismos que quieren proyectar.

Y bien... ¿Qué pinta un agradecido en este mundo selfie? Creo, que una vez más, marca la diferencia. Ser agradecido en medio de este mundo es nadar contracorriente. Hay que tener, nunca mejor dicho, muchas agallas; pero resulta tremendamente inspirador para el agradecido y aún más para los que le rodean. Su actitud vital tiene unas repercusiones verdaderamente insospechadas que le hacen convertirse en un ser reactivo en un medio uniforme o un elemento de química básico que se mueve a través de un fluido de ph ácido. Cuando todos esperan que, como todo *quisqui*, luzca y vista las mejores galas ante el objetivo de su cámara, el agradecido no lo hace, o al menos no con el propósito de sobresalir, ya que tiene todo el pescado vendido. Está tan agradecido a la vida que el selfie no aporta nada de valor nuevo al sentimiento de plenitud vital que le acompaña mucho antes de presionar (ya sea con o sin extensor, que ya están pasando de moda) el botón de su I-phone o Android. No le hace falta exhibirse y reacciona de forma crítica cuando se le exige que exhiba o cuando es capaz de leer entre líneas las exhibiciones ajenas que van buscando llenar vacíos a golpe de "me gusta".

El agradecido en un mundo sin tiempo para la reflexión

El cultivo de la imagen del yo que profesan muchos de nuestros contemporáneos –y a saber si no tú y yo también, que sálvese quien esté libre de pecado...– está regado por una tubería cuyos pasos intermedios son la rapidez, la irreflexión y en último término la búsqueda de la identidad social que se construye –curioso– con base en una pretendida autoestima más individualista que otra cosa.

Analicemos muy sucintamente el proceso y cómo el agradecido juega un importante papel ante el no pequeño reto de vivir en una sociedad como la que nos ha caído en suerte. Vemos todos los días cómo se desencadenan las noticias en vivo y en directo. Hace no tantos años –casi pareciera, no obstante que se trata del pleistoceno– los servicios informativos de las televisiones o de las radios tenían que esperar al teletipo emitido por la agencia de noticias de turno para poder dar una noticia por cierta y lanzarla al mundo. Ahora eso ya no hace falta. Un tuit puede desencadenar el final de un político corrupto sobre el que se cernía una alargada sombra, la caída de un gobierno al que la oposición presenta una irremisible moción de censura en cuestión de horas o la última novedad de ese suceso truculento cuya evolución sigue todo el país minuto a minuto merced al relato de un ávido periodista amarillo. Esta inmediatez de la que no podemos escapar determina un ritmo de tendencias tremendamente rápido y variable que, por la naturaleza de su propia génesis, no permite la reflexión y muchas veces, ni siquiera la completa veracidad o comprobación de la fuente. En este contexto tan característico el agradecido se convierte en un guerrero que sostiene con dignidad el arma que le otorga una inusitada capacidad de lucha: la reflexión. La persona agradecida corre menos riesgo de derrapar en un mundo veloz porque su coche no va conducido por un *influencer*. Quien actúa con agradecimiento es capaz de dominar con mayor solvencia el yugo del cultivo del yo porque no necesita de la aprobación de sus iguales de un modo tan acuciante como parece demandarnos la sociedad del reloj y de la imagen. Goza de más libertad para moverse por entre las hierbas —a veces malezas— del *selfie* y controla los elementos esenciales que moldean su identidad de un modo diferente, no adoctrinado por lo que dictan las tendencias —estas sí—irreflexivas y ávidas de autoestima barata y evanescente que inundan por doquier la placenta en la que nos guste o no vivimos. Esto, que también pueden conseguir otros, el agradecido lo logra sin necesidad de echar mano de la agresividad, como si estuviera a la defensiva. Más bien, la valoración de lo que tiene, de lo que es, de lo que tienen y de lo que son los demás, le pone en un lugar de perpetua bonanza y, curiosamente, más que convertirle en aquiescente, acomodaticio o irreflexivo, le dota de espíritu crítico e independiente de campo con respecto a los aires que provengan del exterior. Degustar la miel que desprende la virtud del agradecimiento no se paga con nada, ni siquiera, con un *me gusta*. Gran ventaja, de inteligentes.

El agradecido en la sociedad del bienestar (o de la comodidad)

La persona agradecida, en sí misma, supone en este punto otro desafío para la sociedad del bienestar. Mientras que el impulso de la mayoría reclama máxima comodidad conseguida, a ser posible, con el menor esfuerzo, con un sentido eficientista, la forma de vivir del agradecido no demanda exactamente como-didad. Sí dignidad, y dignidad para todos, pero no necesariamente comodidad. El agradecido pone con-tra las cuerdas la concepción postmoderna en virtud de la cual los derechos se anteponen a los deberes. Supedita los derechos individuales al servicio que concreta sus deberes para con los demás. Y tiene su lógica. Piénsalo: si de por sí, aunque no tengas nada, ya te consideras en deuda con la vida en cuanto a que ella en sí misma es ya un gran regalo que te desborda, te sientes en la obligación moral en primera instancia de dar, no de recibir. Esto tiene implicaciones muy serias, porque te enfrentas al mundo con el ánimo de servir más que de ser servido. Es contracultural en un contexto de reivindicaciones en tantos campos, en el que quien no defiende la suya, parece perder el tiem-po. Es de tontos no hacerlo. Contra el lema *"Llora lo tuyo, y así mamarás"* (basado en aquel otro que dice que *"el que no llora no mama"*), el agradecido dice más bien: *"Responde desde el servicio sin esperar nada a cambio, ya recogerás"*. Y así, curiosamente, adquiere de pleno derecho — ¡oh, diosa Fortuna! — todos los beneficios que justamente persiguen los *leyistas* que se creen acreedores de todos los derechos. El agrade-cido, consciente de su propia deuda con la vida, con los demás, con aquellos que ya pasaron por aquí y que dieron lo mejor que tuvieron, sabe que cualquier derecho debe ser utilizado en beneficio de los demás, y que esta actitud, además, no tiene más remedio que beneficiarle a la larga. El secreto de los derechos del agradecido se esconde más que en la denodada lucha por su conquista directa, en la voluntad de servicio y escucha a otras realidades independientes de sus propios intereses. Consigue, en medio de un mundo agobiado y esclavizado por la búsqueda incesante de los derechos propios —ya sean individuales o colectivos—, liberarse a sí mismo y liberar a otros buscando más bien experiencias de gratuidad. El servicio, que no es otra cosa que pensar precisamente en los derechos de los demás antes que en los propios, desata las cadenas que —por muy justa y bien parecida que se presente— una avalancha hedonista pretende fijar al cuerpo del agradecido que sin embargo sabe zafarse, nuevamente, ante una trampa crucial propia de los tiempos que corren.

De igual modo, otras cadenas tratan de ceñirse sobre el cuerpo de la persona agradecida en otros terrenos, también más allá de lo material. Podríamos hablar de otro reto para la sociedad del futuro relacionado con aspectos tratados en este libro: por ejemplo, de cómo el agradecido afronta lo que acontece en el terreno espiritual. Ya hemos analizado el relato postmoderno que aboga por una espiritualidad que pretende el desarrollo personal ante todo. Proliferan las ofertas espirituales que se presentan como productos de supermercado en el que el cliente elige aquello que más "le desarrolle". La gente anda buscando como loca cursos de tal o cual gurú yogui, experiencias espirituales novedosas (muchas de ellas traídas de oriente con una intención occidental que las desvirtúa) o incluso, saber si tal o cual religión de las tradicionales va a satisfacer sus necesidades vitales, si es lo que va buscando, si le aporta lo que desea; en el fondo, si colma sus inquietudes de bienestar. Pero ese no es el camino que persigue el agradecimiento. Toda espiritualidad que no sea agradecida, o dicho de otro modo, que no lleve al servicio o la donación que se proyecta hacia los demás, es una espiritualidad vacía, quizá, de hecho, no sea espiritualidad. Las espiritualidades que buscan, eso sí, con bonitas palabras, que la persona se encuentre a sí misma y que al final, después de tantos cursos y jornadas no van más allá de su propio ombligo terminan, precisamente, perdiéndola en un marasmo de continua insatisfacción y egocentrismo. Cuidado, que muchas de ellas se disfrazan con múltiples pinturas, plumajes y máscaras, incluso, con el empuje de personas bienintencionadas que buscan donde no encuentran. El agradecimiento se convierte en clave de discernimiento en este escenario postmoderno, pues ayuda a saber leerlo; el hecho de saberse en deuda hace albergar en el corazón agradecido un anhelo de bondad que le desplaza de su propio centro y le sitúa en un plano espiritual que le lleva a actitudes de reverencia —no de exigencia o búsqueda de vete tú a saber qué— ante la trascendencia. Sabrá poner en su sitio la realización personal, que en el olvido de sí será alcanzada más por lo que da que por lo que recibe y dejará las ofertas de supermercado para otro día; sus actividades de servicio le desproveerán de tiempo para escuchar a los gurús de la realización personal... ¡y eso que se ahorra, porque no son baratos! Por el contrario, sin buscarlo, su corazón se unirá y escuchará a las personas verdaderamente espirituales, que, lo más seguro, serán también personas agradecidas.

El agradecido en la sociedad del sinsentido

Terminamos el repaso a las herramientas con que se encuentra la persona agradecida para afrontar la vida con una última capaz de dar norte, sentido a todo lo que hace.

En directa relación con los demás puntos, encontramos que, para colmo, al final de todo, el agradecimiento ensancha la vida hasta dotarla de sentido. La vida de una persona agradecida merece la pena vivirse; y no precisamente porque sea perfecta. Posiblemente tenga mucho menos en varios campos, incluso, objetivamente es mucho peor que la que posee otra persona que no agradece; sin embargo, es capaz de llenarla de color, un color que le hace vivir mucho mejor, a fin de cuentas. La realidad es como es y no la disfraza, sin embargo, al aceptarla y agradecerla, incluso hasta en sus tonos más desagradables, hace que se eleve hasta puntos insospechados para cualquier otra persona que no sepa agradecer y que va coleccionando insatisfacciones.

El agradecimiento desencadena otro fenómeno curioso en la vida de la persona que se atreve a adentrarse en las entrañas de su vivencia a fondo: la forma de proceder del agradecido va transformando su propio destino. Hay un dicho que dice que hay personas que nacen con estrella y otras estrelladas. Yo creo que tiene que ver más bien que unas, por ser agradecidas, son capaces de llenar de estrella su futuro por muy contrariado que venga, mientras que otras, desagradecidas, cosechan insatisfacciones una y otra vez incluso en medio del aparente éxito. Si la vida tuviera que ir abriéndose paso por entre una intrincada montaña, la actitud de agradecimiento haría las veces de tuneladora que va horadando el camino de la persona que la pone en práctica y despejando todo aquello que le hace permanecer en el atasco. Sin saber muy bien por qué, la persona agradecida va encontrando razones para seguir, hilos de los que tirar, espacios por los que avanzar y finalmente, caminos que se iluminan y que en su confluencia establecen redes de sentido. Así, la actitud agradecida permite despejar el camino y mostrar por dónde transitar paso a paso, justo cuando lo necesitamos. El agradecimiento autogenera actitudes positivas, transforma reacciones negativas en positivas y va enfocando la luz en la vida hacia la dirección que queremos para ella. Dota de sentido nuestros pasos, nos va aclarando el horizonte. Siguiendo con el símil, bien es cierto que fuera del agradecimiento también encontramos otras máquinas tuneladoras que acortan el camino hacia los objetivos propuestos. Por ejemplo, hay tuneladoras que no abren caminos para buscar luz, sino para avasallar. Pero las vidas que se abren así el paso, a la larga, terminan pagándolo. No hay actitud no agradecida con la vida que salga gratuita; por eso ser agradecidos es la mejor inversión a largo plazo precisamente porque los horizontes de sentido se construyen desde esa actitud.

Las personas agradecidas poseen una gran capacidad creadora porque aprovechan su energía –en este punto son sin duda eficientes– y la enfocan hacia un destino seguro. La dedican a explorar nuevas vías; sus recursos exploran caminos que otros no ven porque andan ocupados en memeces. Dirigen sus esfuerzos hacia la creación de productos –no necesariamente materiales– útiles para los demás, lo cual les hace entrar en una dinámica que no tiene otra salida que el sentido. Como el agradecimiento hace que sus energías no se agoten en ellos, son capaces de proyectar sobre las necesidades de los demás y ver de forma extraordinariamente creativa lo que de otro modo les dejaría encerrados entre las cuatro paredes de su *yo*. Conectando con las ya comentadas ventajas del servicio al que el agradecido se ve abocado, este podría decir que "lo que no se agota en mí y me abre a los demás me hace creativamente útil para otros". La rompedora capacidad creativa a la que le abre esa actitud dota de sentido su día a día, maximiza y explota su talento y la convierte no solo en una persona competente, sino también enormemente necesaria en cualquier contexto como el que vivimos hoy.

EPÍLOGO

Gracias por llegar hasta aquí. Con la escritura de este libro comienzo una fase de salida "al aire" tras un tiempo sin publicar. Tras un periodo de lo que podríamos llamar "barbecho" en el que me tocaba silencio, observación, anotar, saborear o experimentar, reemprendo una fase que me lleva ahora a comunicar y a lanzar todo lo preparado para esta y otras colecciones que verán la luz en Didacbook.

Escribir este libro, pensado desde hace muchos años pero comenzado materialmente en la Sierra albaceteña en la Semana Santa de 2017 y terminado en los cerros ubetenses en junio de 2018 ha supuesto una experiencia magnífica y, al mismo tiempo, todo un aprendizaje personal al que espero seguir acudiendo cuando se me olviden las razones por las que el agradecimiento es tan importante. Entre medias, en un año muy intenso de colaboración en la misión universitaria y educativa jesuita he escrito estas páginas en estancias muy variadas dentro del territorio español (Madrid, Barcelona, Bilbao y Loyola, fundamentalmente) o también en otros países, como ha sido el caso de Perú, desde donde pude vivir qué significa el agradecimiento en la Selva Amazónica. Aunque no aparezcan de modo explícito, por tanto, este texto está trufado de vivencias que me han llevado a creer con firmeza las cosas que te he declarado en confianza. Las deposito en estas páginas como un tesoro que te comparto; y no digo que sean un tesoro porque estén muy bien escritas o porque sean más o menos ocurrentes, sino más bien porque hablan de algo real, íntimo y que me ha ayudado a vivir verdaderamente de forma más agradecida.

Escribo estas páginas, es más, comienzo esta colección de la Serie "Claves de nuestro tiempo" porque tengo la convicción de que hace falta un mundo nuevo. Una revolución. Pero no espero que sea el mundo el que cambie; quiero empezar desde lo pequeño, desde mí mismo. Quiero cambiar el mundo a mejor, sí; es necesario que el mundo dé un giro en otra dirección, pero debemos dejarnos de idealizaciones. El principal factor de cambio está en que seas capaz de vencerte a ti, que ataques a tu propio egoísmo, donde nacen la mayoría de conflictos que enquistan ese mundo necesitado. Ya han pasado haciendo el bien otras personas que consiguieron cambiarlo; lo hicieron porque desde su pequeñez, supieron dejarlo mejor aunque fuera con pequeños actos, casi siempre actos de amor en los cuales el agradecimiento suele ser actor insustituible. Todo lo demás, incluidas las proclamas agradables a los oídos no me convencen. Ya no creo tanto a los que abanderan tal o cual causa pero no tienen dominio de sí o no son generosos con los demás, o no son personas íntegras y sobre todo bondadosas. No hay cambio del mundo posible si no ejercemos un liderazgo desde la bondad, en cada uno de nuestros pequeños o grandes proyectos, colectivos o personales. Esta es, bajo mi punto de vista, una verdadera revolución, la revolución del agradecimiento que solo son capaces de expresar aquellos que han creído verdaderamente que otro mundo es posible porque ellos mismos fueron suficientemente generosos como para cambiar a mejor en primera persona; de aquellos que lo siguen siendo, de hecho, porque nunca se creerán suficientemente buenos, generosos o agradecidos y seguirán en deuda con un mundo, una vida que les ha dado tanto aunque a veces sea fea o desagradable. Desde su perspectiva, todo lo que les ha sido dado estará siempre en clara superioridad con respecto a sus merecimientos. Estas personas sí cambian el mundo, pero no son muchas. Hacen falta más: ¡convirtámonos nosotros en una de ellas! ¿A qué esperamos? ¿Por qué esperar a mañana si lo podemos hacer hoy? Sigamos buscando para ello claves que ayuden a transitar por entre los caminos del agradecimiento y de otros valores esenciales, y estemos dispuestos a ir a contracorriente si hace falta para ser fieles a ellos; por suerte, hay testigos; personas que pueden ser faros y guías en este proceso de búsqueda; ellas y sus pensamientos nos ayudan a salir de la mediocridad y del relativismo; a ellas y al aprendizaje de sus pensamientos, valores y virtudes esenciales se remitirán las páginas de sucesivos títulos de esta colección.

En lo que toca al agradecimiento, podríamos hablar mucho más, desde muchos puntos de vista distintos y con mayor profusión en algunos de los aspectos que he tocado, casi diríase que acariciado; pero de momento, dado que las pretensiones de este libro no eran más que tener una pequeña charla contigo en confianza y siendo que las buenas cosas son dos veces buenas si son breves, me reservo el gusto de invitarte a leer el próximo librito de esta colección en la que te seguiré revelando algunos de los que a mi entender son secretos, claves, esenciales para vivir con plenitud en nuestros días, para entender nuestro mundo, nuestra condición humana. Valga, no obstante, la declaración de intenciones que supone el haber comenzado la serie con el tema del agradecimiento.

Ahora, para terminar, acompañado por el lema que los colegios jesuitas españoles –que ojalá puedan ser verdaderas escuelas de agradecimiento– han tenido en el curso escolar en que estas páginas fueron escritas, solo me queda decirte con el corazón: sobre todo GRACIAS.

(Del Salmo 128)

Te daré gracias, Señor, de todo corazón;

te cantaré himnos delante de los dioses.

Me arrodillaré en dirección a tu santo templo

para darte gracias por tu amor y tu verdad,

pues has puesto tu nombre y tu palabra

por encima de todas las cosas.

Cuando te llamé, me respondiste,

y aumentaste mis fuerzas.